# 写给孩子的资治通鉴

星汉 编著
王玞玥 绘

石油工业出版社

## 图书在版编目（CIP）数据

写给孩子的资治通鉴.1/星汉编著；王珏玥绘.—北京：石油工业出版社，2023.2

ISBN 978-7-5183-5584-6

Ⅰ.①写… Ⅱ.①星…②王… Ⅲ.①《资治通鉴》—青少年读物 Ⅳ.①K204.3-49

中国版本图书馆CIP数据核字（2022）第168928号

写给孩子的资治通鉴1

选题策划：李　丹
责任编辑：李　丹
出版发行：石油工业出版社
　　　　　（北京市朝阳区安华里二区1号楼　100011）
网　　址：www.petropub.com
编 辑 部：（010）64523581
图书营销中心：（010）64523649
经　　销：全国新华书店
印　　刷：三河市嘉科万达彩色印刷有限公司

2023年2月第1版　　　2023年2月第1次印刷
710毫米×1000毫米　　开本：1/16　　印张：10
字数：80千字

定价：29.50元
（如发现印装质量问题，我社图书营销中心负责调换）
版权所有，侵权必究

# 前言

QIAN YAN

《资治通鉴》是北宋史学家司马光历时19年，主持编撰的我国第一部编年体通史，记载了从战国至五代共1362年的史事。书中以时间为纲，以事件为目，纲举目张，时索事叙。为了做到叙述详备，司马光等人在编撰此书时，在每一事件中留下一段空白，以随时补充材料，然后再考证异同，删除烦冗。因此，此书清晰地记述了历史重大事件的前因后果，以及事件发生的环境，使读者能够清楚地了解事件的发展过程，而无突兀之感。

完成此书后，司马光将其上呈神宗皇帝。神宗皇帝给予了高度评价，称"鉴于往事，有资于治道"，于是此书定名为《资治通鉴》。

司马光以为统治者提供借鉴为出发点，希望统治者能够以前世的兴衰为鉴，考证当今为政得失。然而，此书的功效绝非仅仅于此，它甚至可以帮助人们修身、齐家、治国、平天下，宋末元初的学者

胡三省就评价此书说："为人君而不知《通鉴》，则欲治而不知自治之源，恶乱而不知防乱之术；为人臣而不知《通鉴》，则上无以事君，下无以治民；为人子而不知《通鉴》，则谋身必至于辱先，作事不足以垂后。"

《资治通鉴》是司马光等人从17本正史以及野史、谱录、别集、碑志等书籍中，辨别异同，存是去非，因此有极高的史料价值，在我国史学界占有极为重要的地位。该书内容以政治、军事和民族关系为主，兼有经济、礼乐、历数、天文、地理和历史人物评价，博大精深，详略得当。

正因为《资治通鉴》体大思精，导致少年读者不可骤然全得，只当"如饮河之鼠，各充其量而已"。为此，我们特意编撰了这套《写给孩子的资治通鉴》，将其中的精彩内容直观地呈现出来，希望能引导读者们更方便地"饮水"。

原著在叙述历史事件时不可避免地将一件事的来龙去脉分散地列在不同的时间下，使得事件的叙述不够连续。为了聚拢线索，我们将原本在原著中分散的故事或人物串联起来，并加入一些相关知识介绍，让读者更系统地感受到这部历史经典的魅力。

# 目录 MU LU

三家分晋 / 001

名将吴起 / 007

商鞅变法 / 013

孙、庞斗智 / 020

张仪诓楚 / 027

苏秦合纵 / 033

燕昭王求贤 / 039

鸡鸣狗盗 / 044

乐毅伐齐 / 050

田单复齐 / 056

秦国名相范雎 / 063

长平之战 / 069

毛遂自荐 / 075

名将李牧 / 081

春申君当断不断 / 087

王翦请田 / 093

千古一帝 / 098

沙丘之谋 / 103

陈胜起义 / 109

巨鹿之战 / 114

指鹿为马 / 120

萧何月下追韩信 / 126

楚汉相争 / 132

背水一战 / 137

垓下之围 / 144

萧规曹随 / 149

## 三家分晋

春秋时期，晋国雄踞中原，一度称霸天下。到了春秋末期，晋国的国力式微，国家大权也旁落六卿之手，即赵氏、韩氏、魏氏、智氏、范氏和中行氏，其中又以智氏权势最大。

智宣子立嗣之时，族人智果坚决反对立智瑶为嗣，而提议立庶子智宵。智果认为，智瑶虽然优点很多，却有一个致命的缺点，就是为人不仁厚。如果立智瑶为嗣，智氏宗族将会因此招致灭顶之灾，不如把表面驽钝而秉性忠厚的智宵立为嗣子。智宣子没有采纳智果的建议，智果便到掌管姓氏的太史那里，请求脱离智氏，改为辅氏。

智宣子去世后，智瑶继承爵位，称智伯。果如智果所言，智伯确实大有作为，威震诸侯。之后他又联合赵氏、魏氏，灭掉范氏、中行氏，三家平分其地。取得这些成就之后，智伯的缺点逐渐暴露出来，专横跋扈又贪得无厌。

一次，智伯与韩康子、魏桓子宴饮。席间，智伯先是戏弄韩康子，后又侮辱韩康子的家臣段规。家臣劝告智伯，公然侮辱他人而不加以防备必定招致灾难。智伯却不置可否地说："灾难从来都是我给别人的，我不降灾难，谁敢？"依然我行我素。

权势正炽，智伯日益骄纵，狂妄地向韩康子索要土地。韩康子本不想答应，家臣段规建议说："智伯为人贪婪凶狠，如果不答应他的要求，就会受到他的攻击。不如暂时答应，他得到土地后会更加狂妄，一定会以同样的方法向别人索要土地。如果遭到拒绝，双方势必兵戈相向，那时我们再伺机而动。"韩康子就按照智伯的要求如数奉上土地。

智伯得到土地后，果然越发狂妄，又向魏桓子提出索地要求。对此不合理要求，魏桓子打算拒绝，家臣任章说："智伯平白无故地向他人索要土地，必定会引起众人的恐慌，我们暂时答应他。"魏桓子也采纳了家臣的建议，向智伯献上了土地。

如此，智伯越发狂妄而不可一世，随后向赵襄子索要土地，不料遭到拒绝。赵襄子胆敢拂逆，智伯怒不

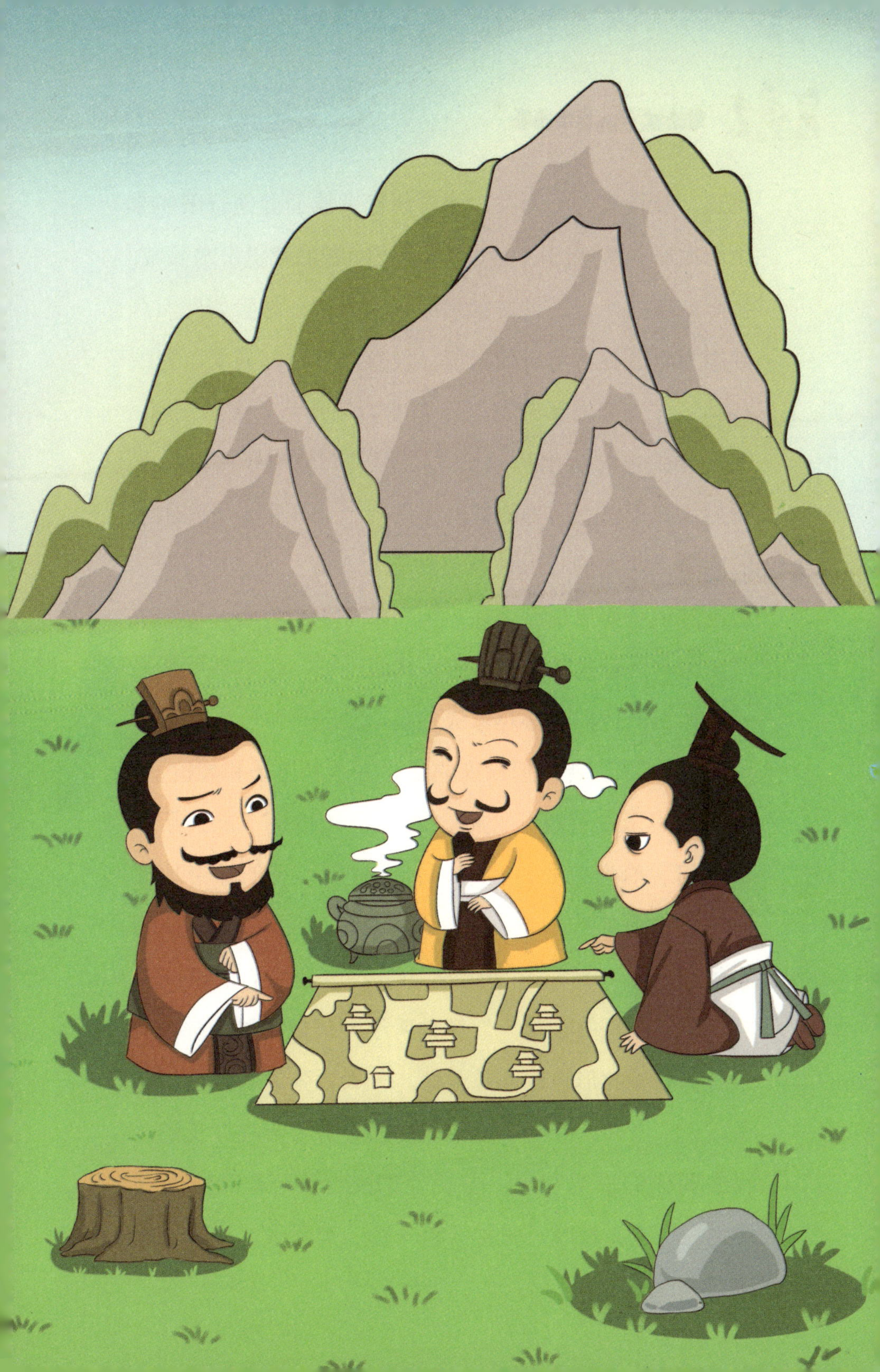

可遏，裹挟魏、韩两家，围攻赵氏家族的驻地晋阳（今山西太原）。赵襄子不敌，坚守不出，智伯就引汾水灌城。晋阳城被淹，百姓只得爬到屋顶上做饭。尽管如此，百姓因为感念赵氏平日的恩情，没有人背叛赵襄子。智伯在韩康子、魏桓子的陪同下察看晋阳形势，突然说道："我今天才知道水可以亡人之国。"韩康子与魏桓子听后忧心不已，因为他们两家的封邑同样也会受到洪水的威胁。两人的心思被智伯的家臣郄疵（xì cī）察觉，郄疵过后对智伯说："韩、魏两家一定会反叛。晋阳破城在即，然而他们面无喜色，忧心忡忡，这不是反叛之兆是什么？他们担心赵家灭亡后，灾难会降临到自己身上。"第二天，智伯把郄疵的话告诉了韩康子和魏桓子，两人均表示没有反叛之心。韩康子和魏桓子离开后，郄疵问智伯为何要将那些话告诉他们，智伯惊奇地反问："你是怎么知道的？"郄疵回答说："他们仔细看了我几眼，然后又匆忙离开了，这是他们知道我看穿了他们心思的表现。"智伯听了，仍然不以为意。

晋阳城的形势越来越危急。一天，张孟谈面见赵襄子，说："韩、魏两家迫于智伯的威势才会攻打我们，我去向他们说明利害，游说他们反戈联赵，共同消灭智伯。"当天夜晚，张孟谈潜入韩、魏营中，说服了魏

## 三家分晋

桓子和韩康子,三家决定联合对付智伯,并约定日期发起攻击。到了约定日期,赵襄子派人趁夜色杀了智伯安排把守河堤的士卒,掘开河堤,将水引向智伯军营,智伯的军队阵脚大乱。这时,韩、魏两家从两翼杀出,赵襄子率军从正面进攻,智伯的军队大败,智伯被杀。前453年,智氏灭亡,智果一支因改为辅氏而得以幸免。

从此,晋国形成了赵、魏、韩三家鼎立的局面,晋国公室形同虚设。前403年,周威烈王册封赵襄子的孙子赵籍为赵烈侯,魏桓子的孙子魏斯为魏文侯,韩康子的孙子韩虔为韩景侯,晋国遂亡。三家分晋意味着春秋时代的结束,战国时代由此拉开序幕。

## 【知识拓展】

卿：古代官职名。西周以后先秦诸侯国中，在国君之下有卿、大夫、士三级官吏，其中以卿最高。

庶子：指妾生的儿子。古代是妻妾制，正妻生的儿子为嫡子，妾生的儿子为庶子。庶子的地位较嫡子低，不能承奉祖庙的祭祀和承袭父祖的爵位和产业。

太史：古代官职名。在春秋时期，是朝廷大臣，掌管起草文书，记载史实，并兼管国家典籍、天文历法、祭祀等。

## 名将吴起

吴起是卫国人，本来是一个贵族，但是到他这一代时已经家道中落。他喜好谈论兵事，从小立下志愿，一定要成就大功业。于是他既不经商也不务农，而是带着家里剩下的钱财四处结交达官贵人，希望谋求一官半职。最后，他花光了所有的家财，也没有得到发达的机会。他向母亲发誓，如果做不到卿相，就绝不回来。

吴起听说魏文侯礼贤下士，于是投奔魏国。魏文侯得知吴起前来投效，与大臣李克商量。李克说："吴起品行不佳，为人贪图功名和美色，但是他的军事才华非同凡响，就是齐国名将司马穰苴（ráng jū）也不能跟他相比。"于是魏文侯接纳吴起，任命他为大将。不久之后，魏秦两国交战，吴起领兵攻下秦国五座城池。

吴起做大将时，与最下层的士兵同吃同住。睡觉不铺席子，行军不骑马不坐车，亲自背干粮，与士兵们共

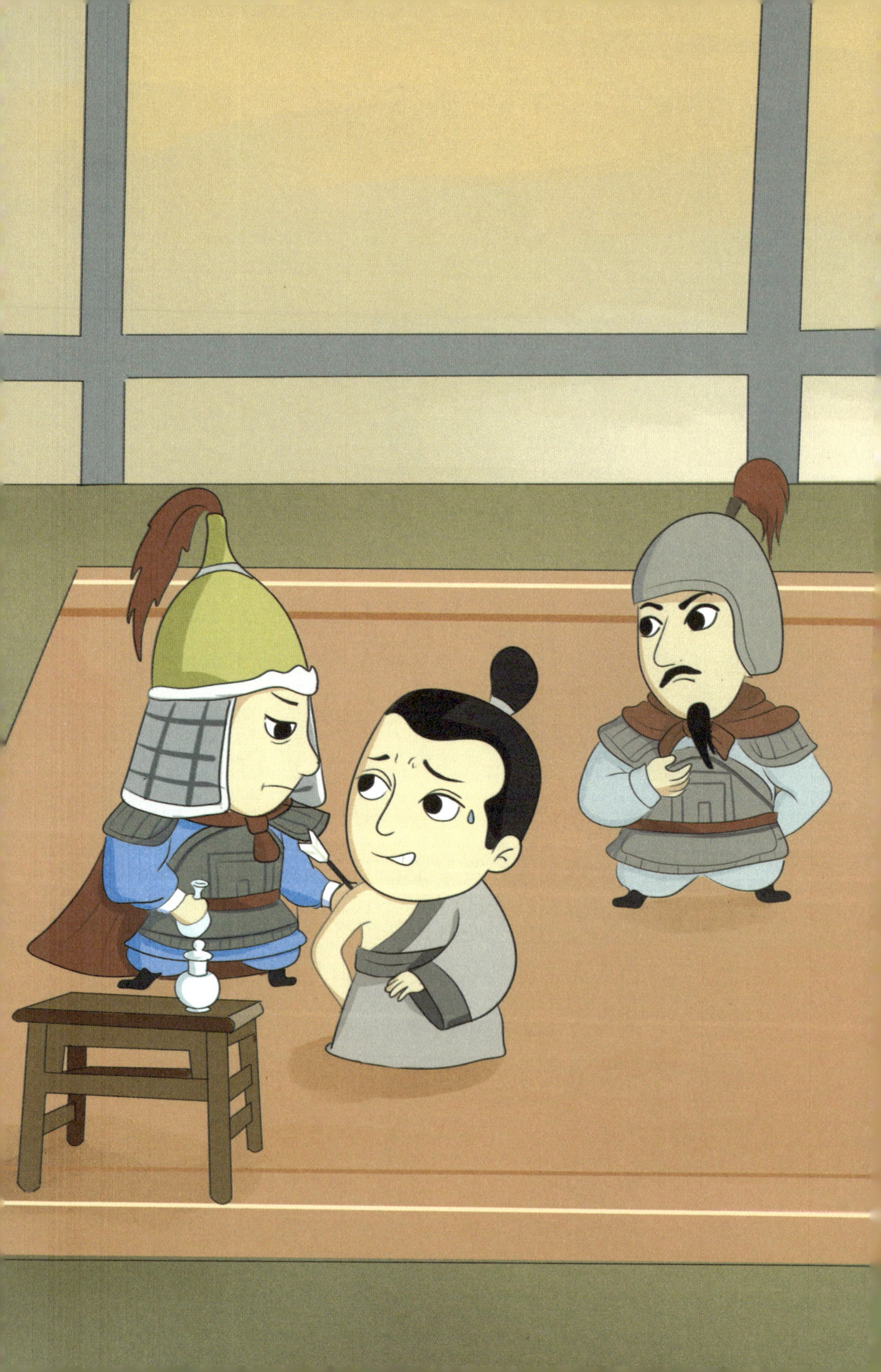

甘苦。军中一个士兵患了毒疮，吴起亲自帮他把脓水吸出来。士兵的母亲知道这件事情后，大哭不止。旁人问她："你的儿子只是一个普通的士兵，吴起将军亲自为他吸吮毒疮，你的儿子遇到这样一个爱戴士卒的将军，应该高兴才对，为什么还哭呢？"士兵的母亲回答说："不是这样的。当年吴将军曾为孩子的父亲吸过毒疮，之后他父亲作战从不后退，因此死在战场上。现在吴将军又替我儿子吸毒疮，我知道我儿子也会和他父亲一样，要死在战场上！"因为吴起与士卒同甘共苦，所以深得士卒拥护。

魏文侯去世之后，魏武侯即位。一日，魏武侯与吴起乘船顺西河而下，船到中流，魏武侯对吴起说："魏国的山河真是壮美啊，这是魏国的国宝啊！"吴起回答说："一个国家最宝贵的是施行德政，而不是险要的地势。如果您不修德政，即使这条船上的人，也可能会成为您的敌人。"魏武侯听罢，对吴起大加赞赏。

吴起因为出色的军事才华被任命为西河守将。在此期间，魏国与各诸侯国发生大战七十六次，取得六十四次全胜，所以魏国的国土迅速扩大，吴起居功至伟。魏国要设置相国，由田文担任此职。吴起认为自己的功劳甚大，非常不甘心，于是找到田文理论。吴起说："统率三军，使士兵乐于战死，敌国不敢来犯，你比我吴起如何？"

田文说："我不如你。"

吴起又问："整顿百官，亲善百姓，使仓库充实，你比我吴起如何？"

田文说："我不如你。"

吴起再问："镇守西河，使秦兵不敢向东侵犯，韩国、赵国俯首听命，你比我吴起如何？"

田文还是说："我不如你。"

吴起质问道："这三条你都在我之下，而职位却在我之上，是什么道理？"

田文说："如今国君年幼，国家多有隐患，大臣不归附，百姓不信服。这种情况下，应该把国家托付给你，还是托付给我呢？"

吴起默然不语，过了一会儿说："应当托付给你！"

田文死后，公叔任相，对吴起非常忌惮。吴起害怕，于是投奔楚国。

楚悼王早就知道吴起是一个难得的人才，当即任命他为相国。吴起一上任就实施改革，精兵简政，废除了许多不重要的官职，把省下来的钱用来奖励士兵。楚国很快强大起来。

但吴起的改革措施损害了许多王亲贵族的利益，楚悼王去世后，吴起失去依靠，这些王亲贵族率兵攻打吴起，吴起不敌，逃到楚悼王的尸体旁，伏在上面不起来。吴起被乱箭射死，楚悼王的尸体也中了箭。楚国法律规定，伤害国王的尸体属于重罪。楚肃王即位后，所有射中楚悼王尸体的人都被灭三族，因此事而被灭族的达七十余家。

## 【知识拓展】

吴起是战国初期著名的政治改革家和军事家,与兵家之祖孙武合称"孙吴",与《孙子兵法》一样,他所著《吴子兵法》在中国古代军事典籍中具有重要地位。

## 商鞅变法

秦孝公即位时，"战国七雄"中秦国的国力最弱，他深以为耻，立志富国强兵，便下求贤令向各国广纳贤士，卫国人公孙鞅闻讯而来。

公孙鞅好法家刑名之学，曾在魏国国相公叔痤（cuó）手下做事。公叔痤深知他的才干，但还未来得及推荐，就重病不起。魏惠王前来看望公叔痤，问道："您如果不幸去世，国家大事如何处置？"公叔痤说："我手下任中庶子之职的公孙鞅，年纪虽轻，却有奇才，希望国君把国家交给他治理！"魏惠王听罢默然不语。公叔痤又说："如果国君您不采纳我的建议，那就要杀掉公孙鞅，不要让他到别的国家去。"魏惠王许诺后告辞而去。

公叔痤又急忙召见公孙鞅道歉说："我必须先忠于君上，然后才能照顾属下；所以建议惠王杀掉你，现在

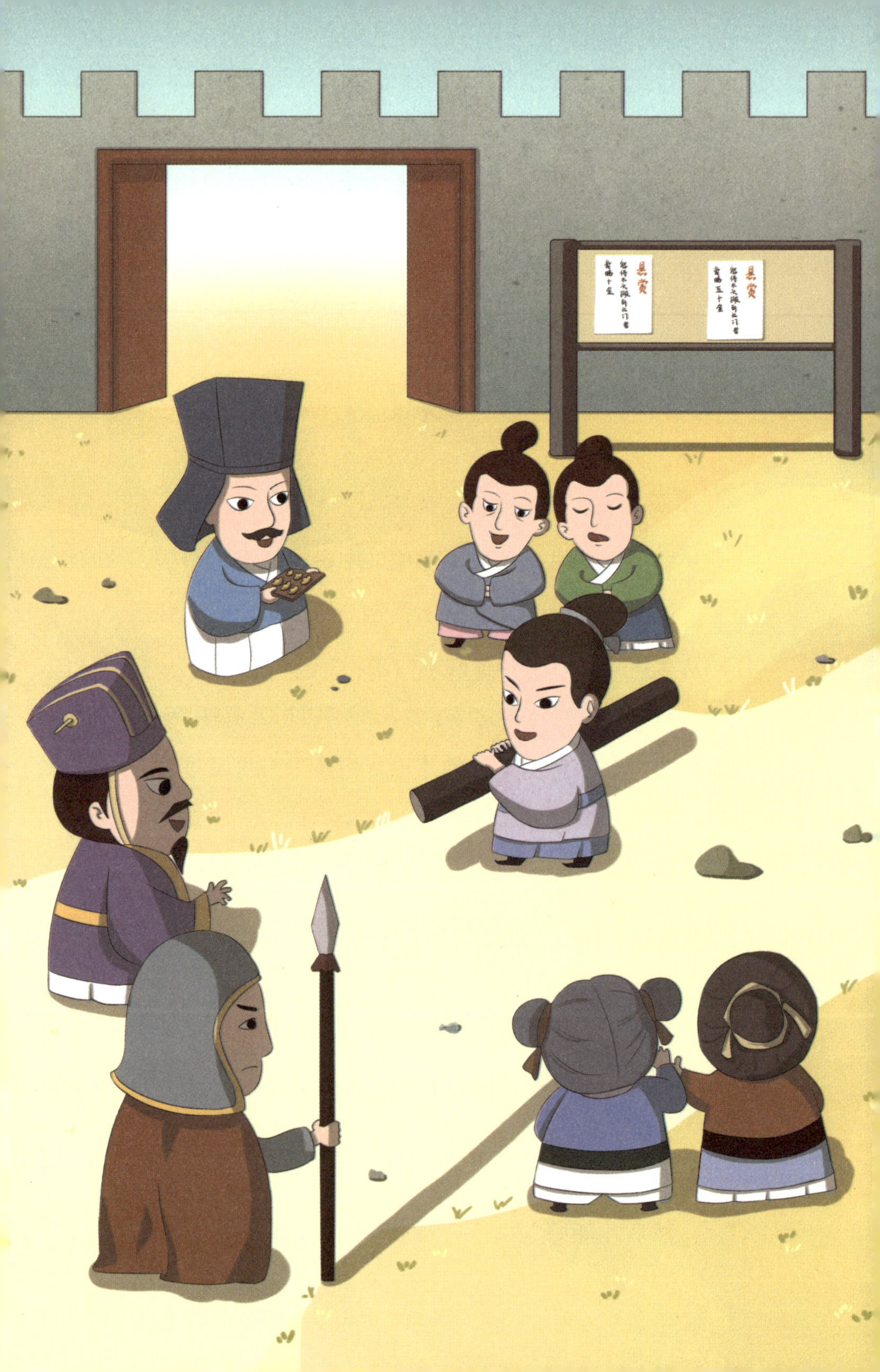
悬赏
能将木头搬到北门者
赏赐十金
悬赏
能将木头搬到北门者
赏赐五十金

又告诉你。你赶快逃走吧！"公孙鞅摇头说："国君不能听从你的意见任用我，又怎么能听从你的意见来杀我呢？"便留了下来。果然如公孙鞅所料，魏惠王离开后，对左右近臣说："公叔痤病入膏肓，真是太可怜了。他先让我把国家交给公孙鞅治理，一会儿又劝我杀了他，岂不是糊涂了吗？"

公孙鞅到秦国后，由宠臣景监推荐见到秦孝公。秦孝公怀着很大的兴趣与公孙鞅进行了第一次会面，公孙鞅跟秦孝公讲治国的道理时，秦孝公却一直打瞌睡。公孙鞅走后，秦孝公埋怨景监说："你推荐的是什么人啊？只会夸夸其谈！"景监去问公孙鞅怎么回事，公孙鞅说："我跟大王讲的是尧舜治理国家的办法，大王根本领悟不了。"景监回去请求秦孝公再给公孙鞅一次机会，秦孝公答应了，可第二次见面仍然不欢而散。公孙鞅说："这次讲的是大禹、商汤和文王的治国之道，大王根本不想听。我已经知道大王的心思了，不过若是通过这种方法来强国，大王只能在短时间内取得成效，要想建立像商朝和周朝那样的不朽伟业是不可能的。麻烦你再为我引荐一次吧！"第三次见面，秦孝公和公孙鞅果然聊得很投机，秦孝公高兴地对景监说："公孙鞅果然是个人才！"

商鞅变法

随后，秦孝公任命公孙鞅为左庶长，让他负责变法。变法的各项具体法令制定后，公孙鞅并没有急着将其公之于众，而是首先考虑如何取信于民。

公孙鞅在秦国都市南门立了一根三丈长的木头，召集百姓宣布："凡能将木头搬到北门的人，奖赏十金。"民众感到莫名其妙，议论纷纷，并没有人愿意搬那根木头。于是，公孙鞅又当众宣布："若是有人把木头搬到北门，赏赐五十金。"众人哗然，更加认为这不会是真的。不过，重赏之下必有勇夫，终于有一个人站出来将木头搬到了北门，公孙鞅当即兑现承诺，百姓都觉得这位左庶长的话可信。公孙鞅趁势把变法法令公之于众，并承诺功必赏、过必罚，新法由此在秦国推行起来。

变法令颁布后，遇到各种阻挠。这时，太子也触犯了法律。公孙鞅说："新法不能顺利施行，就在于上层人士带头违反。"太子是国君的继承人，不能施以刑罚，便将他的老师公子虔处刑，将另一个老师公孙贾脸上刺字，以示惩戒。

新法施行十年后，秦国大治，公孙鞅功不可没，秦孝公为了奖赏他，把他封到商地，所以人们又把公孙鞅叫作商鞅。

但是严苛的新法只强调惩罚，忽视了对人们的教化。

为了防止犯罪发生，法律要求人们互相监视、互相揭发，"一人犯法，全家受罚"。于是到了秦孝公后期，人们对商鞅的法律越来越不满。

秦孝公逝世，太子继位。当年因为太子犯法而受罚的两个老师开始报复，他们诋毁商鞅有谋反之心。新继位的秦王也对商鞅很不满，决定处死商鞅。

商鞅听到这个消息，趁着深夜逃跑了，但是慌乱之中没有带证明自己身份的凭证，出不了城门，于是他准备到附近人家借宿一晚。不料，主人不肯，还坚决要举报他。那家主人说："商鞅大人有命令，如果发现家里或邻居家藏有不明身份的人不举报，就要全家受罚。"最终，严苛的商鞅被自己的法律捆住手脚，受到了严苛的刑罚——车裂。

## 【知识拓展】

　　法家：先秦诸子中对法治最为重视的一个流派。春秋战国时期从未有一个组织或学派叫"法家"，只是西汉时司马谈将管子、韩非子等理念相似的人归类为一派并命名"法家"。法家思想源头可上追溯于夏商时期的理官。现在通常认为商鞅、申不害、慎到及韩非子四人为法家的代表人物，其中韩非子是法家思想的集大成者。

## 孙、庞斗智

**孙**膑是战国时期著名的军事家,传说与庞涓一起拜在鬼谷子门下学习兵法。两人才资俱佳,但孙膑略胜一筹。鬼谷子因孙膑单纯质朴,且是孙武后代,于是将孙武所著兵书《孙子兵法》传授给了他。

出师后,庞涓凭借军事才能当上了魏国大将。孙膑以为庞涓会顾念同窗之谊,便去投奔他。不料庞涓嫉妒孙膑,在魏惠王面前诬告孙膑里通外国,对孙膑施以酷刑,挖掉了他的膝盖骨。而后庞涓把孙膑关在一个秘密的地方,大献殷勤,好吃好喝地供养。孙膑不知实情,还对庞涓感激涕零,庞涓乘机索要《孙子兵法》。孙膑身上没有抄录本,庞涓就找来木简,让他抄录。庞涓准备在拿到《孙子兵法》后,断绝食物供给,把孙膑饿死。这时候,伺候孙膑的童仆偷偷把这个阴谋告诉了孙膑。

想要脱身又苦于无法行走,孙膑心生一计。当天晚上，孙膑伪装成得了疯病的样子，一会儿号啕大哭，一会儿嬉皮笑脸，做出各种傻相，或唾沫横流，或颠三倒四，又把抄好的书简翻出来烧掉。庞涓怀疑他装疯卖傻，派人把他扔进粪坑里，弄得满身污秽。孙膑在粪坑里爬行，显出毫不在意的样子。庞涓又让人献上酒食，欺骗他说："吃吧，相国不知道。"孙膑怒目而视，骂不绝口，说："你们想毒死我吗？"随手把食物倒在地上。庞涓让人拿来土块或污物，孙膑反而当成好东西抓起来就吃。庞涓由此相信孙膑确实是精神失常了，疑心也稍有解除。

齐国的一位使者出使魏国，了解到孙膑的情况，回去时把他在魏国的所见全部告诉了相国邹忌，邹忌又转告了齐威王。齐威王命令辩士淳（chún）于髡（kūn）到魏国去见魏惠王，暗中找到孙膑，秘密把他接回齐国。

孙膑来到齐国，首先做了大将田忌的门客，深受赏识。在一次赛马中，他帮助田忌获胜，由此受到齐威王的重视。齐威王经常和孙膑谈论兵事，发现孙膑具有非凡的军事才能，于是将他留在身边，并且拜他为师。

魏国在国丧之时被赵国乘虚而入，夺走了属国中山国。前354年，魏惠王想报此仇，派大将庞涓率兵夺回

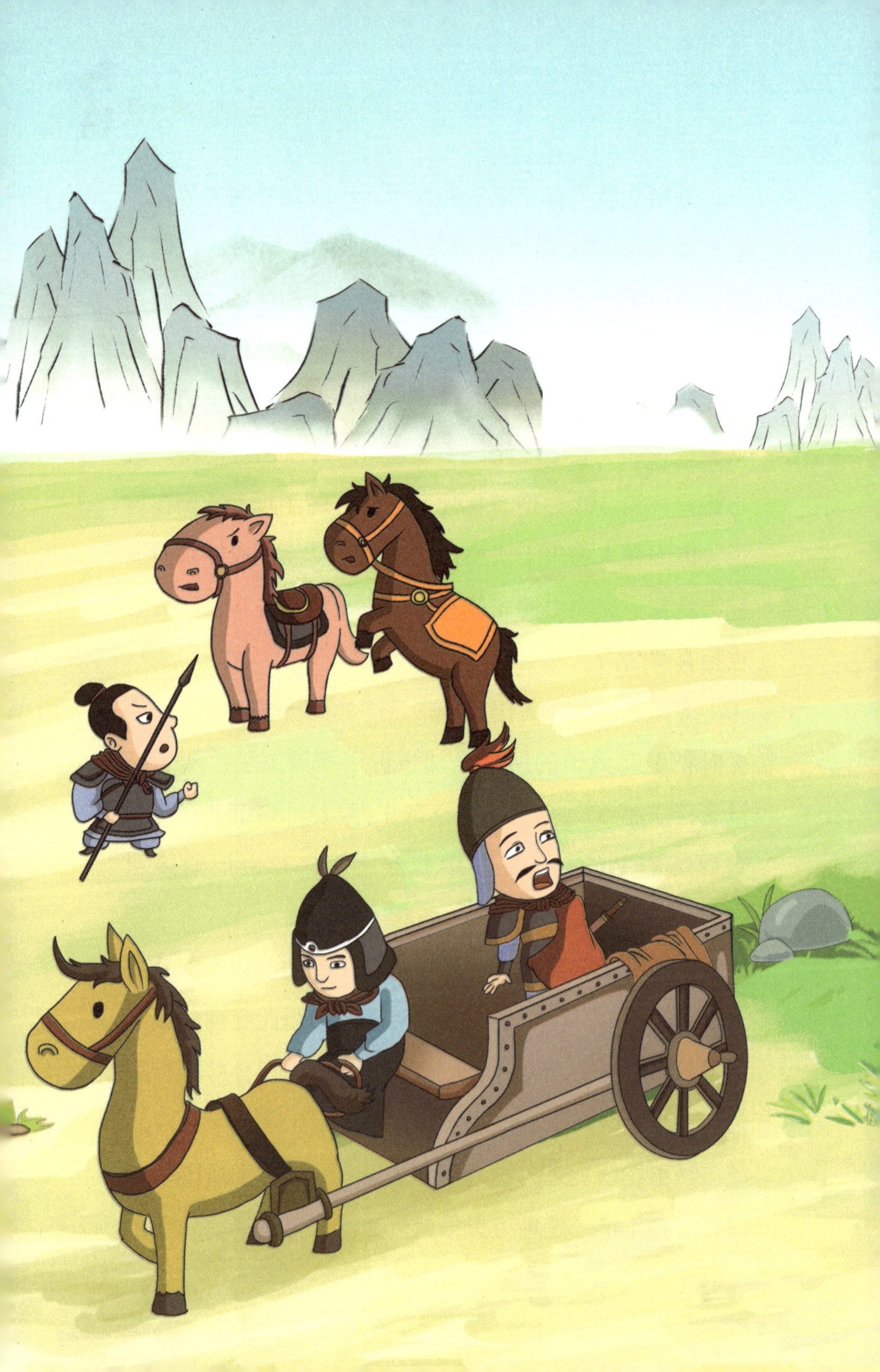

庞涓死此树下
军师孙示

中山国。大将庞涓认为中山国不过弹丸之地，距离赵国又很近，不如直接攻打赵国的都城邯郸，这样既能一解心头之恨，又能沉重打击赵国，可谓一举两得。魏惠王接受了庞涓的建议，命其直取赵国都城邯郸。

庞涓治军有方，军队势如破竹，很快便包围了赵国的都城邯郸，赵国形势危急。第二年，迫于形势，赵国向齐国求救。齐威王允诺，任命田忌为大将，孙膑为军师。

田忌与孙膑率兵进入魏、赵交界之地，田忌听取了孙膑的意见，出兵围困魏国的都城大梁，魏王急忙下令庞涓回军自救。庞涓收到魏王的命令后，丢掉粮草辎重，连夜从赵国撤军回国。孙膑预先在魏军回国的必经之地桂陵设下埋伏，当魏军经过时，齐军突然出击，大败魏军。

前342年，庞涓带领十万大军，分三路进攻韩国。韩国国小势微，就派出使臣向齐国求救。孙膑与庞涓之间的智斗，再一次上演。

孙膑知道庞涓素来轻视齐军，认为齐军胆小懦弱，于是采取诱敌深入的方法。庞涓本想与齐军一决雌雄，不料，齐军不肯交战，稍一接触就向后退去，庞涓紧追不放。第一天，齐军营地有十万人的饭灶；第二天，还

剩五万人的灶；到第三天，只剩三万人的灶了。庞涓得意道："我就知道齐国的士兵都是胆小鬼，如今不到三天就逃跑了大半！"于是传令三军，留下步兵和笨重物资，集中骑兵轻装前进。

  当魏军来到一个叫作马陵道的地方时，孙膑指挥早已埋伏好的弓箭手见到火光就万箭齐发。庞涓听说前面的道路被树木堵塞，忙上前查看。朦胧间他看到路旁有一棵大树，上面隐约有字，于是让人点起火把。当庞涓看清树上的那一行字时，大吃一惊，原来树上写着："庞涓死此树下！"此时，庞涓方知中计，但是一切都已经晚了。埋伏在山林中的齐军一见火光，顿时万箭齐发，魏军乱作一团，死伤无数。庞涓身负重伤，知道败局已定，拔剑自杀。齐军大胜。

【知识拓展】

孙武：字长卿，春秋末期齐国乐安（今山东北部）人。著名的军事家，被誉为百世兵家之祖，他经吴国重臣伍子胥举荐，受到吴王阖闾重用。在柏举之战率领吴国军队大败楚国军队，占领楚国都城郢城。孙武所著《孙子兵法》，被誉为"兵学圣典"，为《武经七书》之首。

## 张仪诓楚

张仪是魏国人，曾师从鬼谷子，学习纵横之术。出师之后，他投奔到楚国令尹昭阳门下。昭阳因为立下战功，楚王赏赐他和氏璧。一天，和氏璧丢了，张仪家境贫寒，众人认定和氏璧一定是被他偷去了。张仪遭受严刑拷打，遍体鳞伤，被放出来后，问妻子："我的舌头还在吗？"妻子告诉他还在，张仪笑着说："只要我的舌头还在，我就有机会出人头地。"

伤愈后，张仪去了秦国，受到秦惠文王的赏识，被拜为客卿，直接参与谋划军国大事。不久，张仪帮秦国从魏国手中夺得上郡十五县和河西重镇少梁，被提拔为相国。

秦惠文王想要讨伐齐国，但是因为齐、楚两国是盟国而有所顾虑，齐国是中原霸主，楚国则雄霸南方。为

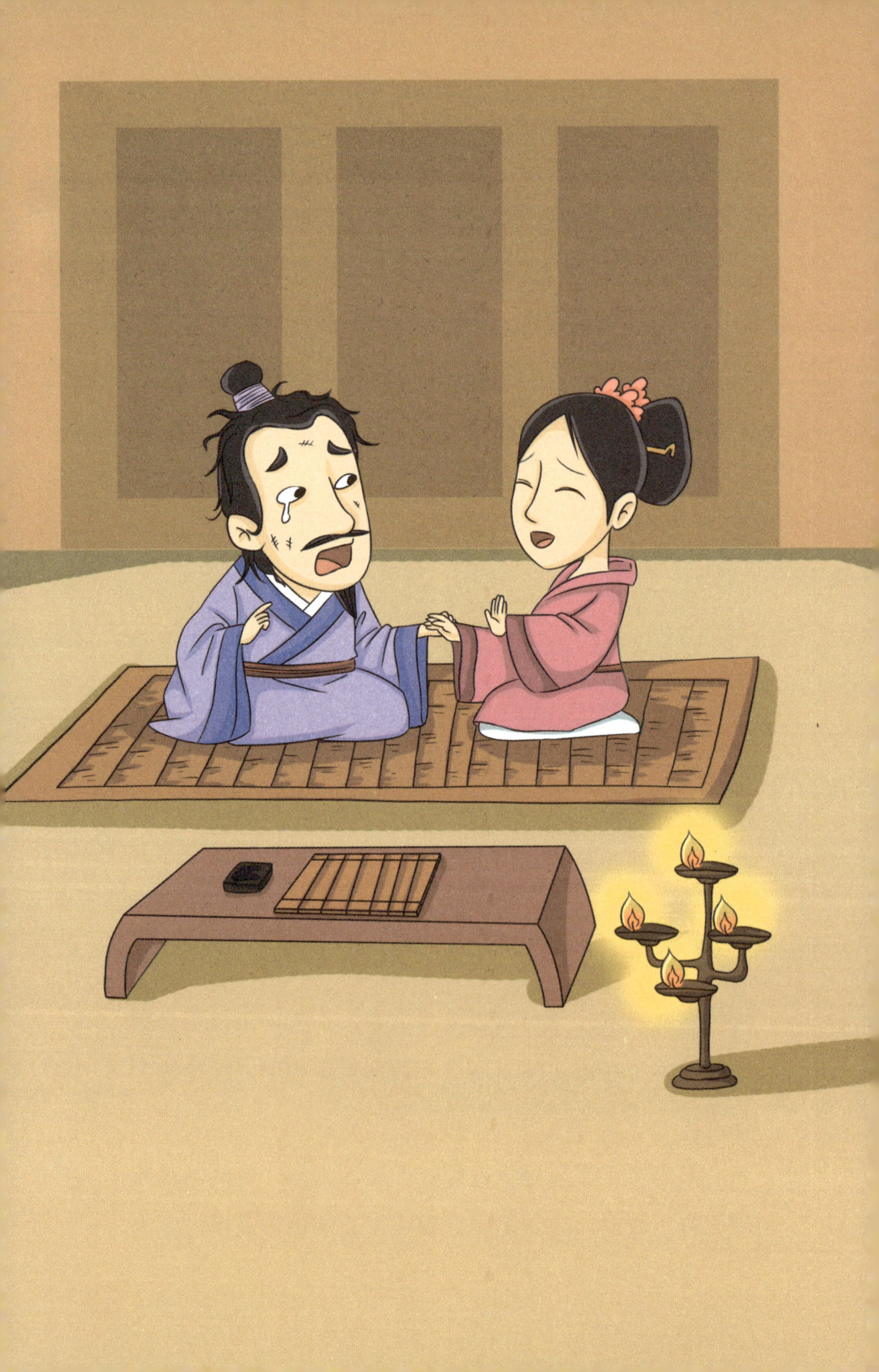

## 张仪诳楚

了瓦解齐、楚联盟，秦惠文王派张仪前往楚国。张仪对楚怀王说："大王如果与齐国废除盟约，秦国愿意献上商於六百里土地。"楚怀王高兴地答应了张仪，随后下令与齐国断交。

张仪回到秦国后，假装从车上跌下摔伤，三个月不上朝。楚怀王听说后，担心张仪认为自己与齐国断交的诚意不够，于是派使者去齐国辱骂齐王。齐王大怒，当即与秦国和好。这时张仪才开始上朝，他见到楚国使者，故作惊讶地问："你为何还不去接受割地？从某处到某处，共六里地。"使者愤怒地回国报告给楚怀王，楚怀王勃然大怒，发兵攻打秦国。

前312年，楚怀王派大将屈匄（gài）出兵秦国，定要活捉张仪，将他带回楚国千刀万剐，以泄心头之愤。然而，齐国为了报复楚国的背信弃义，派兵相助秦国，使楚军腹背受敌。楚军大败，十万大军只剩下两万余人。在这次战争中，秦国攻占了楚国汉中六百余里土地，楚国上下惶恐不已。韩、魏两国更是趁机派兵侵占了楚国多座城池。楚怀王闻讯后急得像热锅上的蚂蚁，无奈之下，便派屈原出使齐国，向齐王请罪，意图重修旧好，同时又派陈轸去秦国割地求和。

听完使者陈轸的议和请求，秦惠文王答道："用不着你们再割两座城池了，我看就用我国商於之地换取贵国黔中之地吧。"陈轸回去把这话转告给了楚怀王，楚怀王这时已经不在乎割地让城，他最恨的是张仪，欲杀之而后快。他慷慨地答复说："用不着交换，只要秦王能把张仪交给我处置，我情愿奉送黔中之地！"

秦惠文王决意不肯让张仪去。张仪说："大王不必担心，此去也未必是祸，说不定还有转机，就请大王放心。"秦惠文王于是答应让他去楚国。

到了楚国，张仪先暗中拜会楚怀王宠臣靳（jìn）尚，送给他许多见面礼，然后才去求见楚怀王。楚怀王见到张仪后非常生气，怒火中烧，马上让人把他关押起来。靳尚听后立即向楚怀王的宠妾郑袖告知此事，并对郑袖说："大王这样做实属下策啊！秦王如果知道楚王杀了张仪，必定不会善罢甘休，不如对张仪弃之不顾。我听说秦王不惜用重金美女来搭救张仪！"郑袖担心秦王进献美女来楚，自己的宠妾地位不保，于是劝楚怀王释放张仪。她含泪道："大王万万不可杀张仪啊！否则，定会招来祸端，秦王若是动怒，必然引兵来犯，到时候楚国就危险了！只有放了张仪才可相安无事。秦国是当今强国，我们还是和秦国搞好关系才是！"

正当楚怀王举棋不定之时，靳尚求见说："张仪是

张仪诳楚

秦国相国，是秦国的功臣，秦王非常看重他。如果大王善待张仪并感化他，那么张仪必定会让秦王跟我国和好，楚国的存亡在此一举啊！"楚怀王改变了主意，释放了张仪，并设宴款待他。张仪临走的时候，楚怀王还送给他许多金银珠宝。

屈原听到这个消息，对楚怀王说："大王，您难道忘了当年张仪是怎么欺骗您的吗？现在您放了他，后患无穷啊！"听到屈原的话，楚怀王后悔莫及，马上派人追杀张仪，但是已经晚了，张仪早跑回秦国了。

## 【知识拓展】

屈原：芈姓，屈氏，战国末期楚国贵族，自称是古帝高阳氏的后裔，其先祖受楚武王封于屈地，因以屈为氏。屈氏与昭氏、景氏并称王族三姓，屈原曾任三闾大夫，据说掌管昭、屈、景三氏事务。

屈原忠心侍奉楚怀王却屡遭排挤，被流放于偏远地区。楚国都城郢被攻破后，屈原抱石自投汨罗江而死。后世端午节吃粽子即是为纪念屈原。

## 苏秦合纵

苏秦出生于洛阳一个普通的百姓家庭,从小就伶俐善辩,勤奋好学。长大以后,他想依靠自己的智慧来光耀门楣,于是就去齐国向鬼谷子学习权谋之术,张仪是他的同学。

过了几年,苏秦辞别老师,游走于各国之间,想要投靠明君施展才华,结果诸侯没有一个愿意采纳他的意见。穷困潦倒的他回到家乡,被嫂子讥笑说:"我们周人的风俗就是治理产业,从事工商,你如今丢下老本行去凭嘴皮子赚钱,不是活该倒霉吗?"苏秦无话可说,从此闭门不出,又翻了一遍自己的藏书,并认真研究一本叫作《阴符》的书。他埋头苦读,常常读书到深夜,困了,就用冷水冲醒自己。到后来冷水也不管用了,他想出了另一个方法。他准备了一把锥子,一打瞌睡,就用锥子往自己的大腿上刺,用疼痛使自己清醒过来,再

坚持读书。这样坚持了一年，苏秦的学识大有长进，他重新开始游说各国。

苏秦首先来到秦国，向秦王提出吞并天下的策略，秦王不听。于是他离开秦国，前往燕国，向燕文公说："燕国之所以没有兵患，是因为南面有赵国这个屏障。秦国要攻打燕国，需要远涉千里，而赵国要攻打燕国则只需行军百里之内。所以燕国应和赵国修好，两国同仇敌忾，这样燕国便可以高枕无忧了。"燕文公赞同苏秦的建议，赐给他许多车马钱财，让他前往赵国缔结盟约。

身负重任的苏秦来到赵国，向赵肃侯说道："当今之世，崤山以东的国家以赵国最强，因此秦国把赵国当作心腹之患。秦国之所以始终没有派兵进犯赵国，是担心韩、魏两国在背后图谋。所以秦国要攻打赵国，首先会除掉韩、魏两国。韩、魏两国没有高山大川作为屏障，势必不能单独抵抗秦国。秦国一旦出兵，韩、魏两国就会俯首称臣。秦国除去这两个后顾之忧，必定会立即对赵国用兵，到时候赵国就有亡国之祸。如今天下形势以秦国最为强大，但是其他诸侯国的国土总和是秦国的五倍，兵力总和是秦国的十倍，如果六国团结一致，不仅能够免遭秦国侵犯，甚至可以向西攻破秦国。为了保全赵国，大王应当联合韩、魏、齐、楚、燕五国，结成盟国，

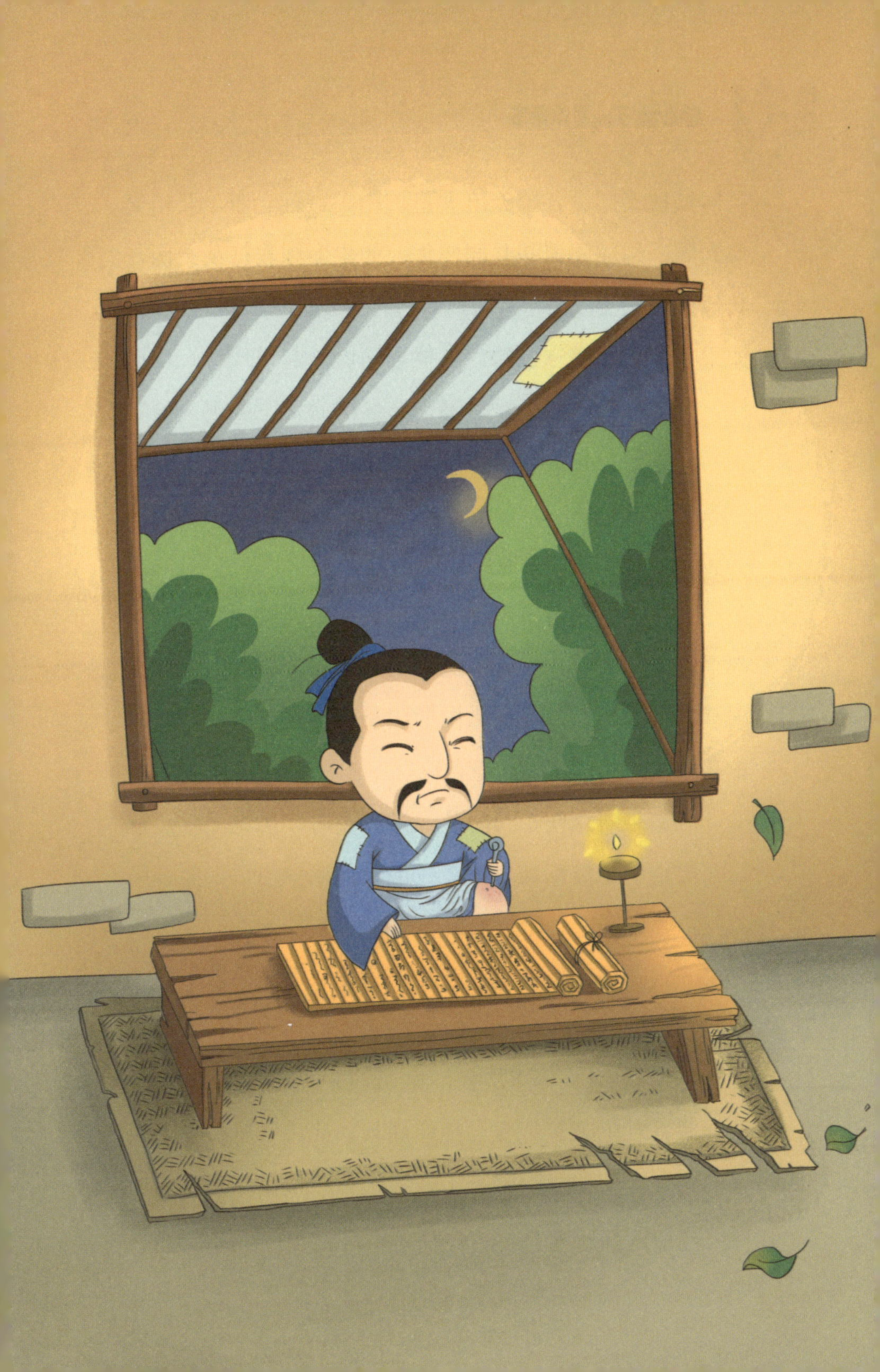

共同抵抗秦国。各国派出大将、相国进行会盟，互相交换人质，结成同盟并共同盟誓：如果秦国攻打某一国，其他五国都要派出精兵，或者进行牵制，或者进行救援。如果哪一国不遵守盟约，其他五国就一起讨伐他！以这样一个强大的同盟去对付秦国，秦国必定不敢出兵函谷关，前去侵犯各国。大王意下如何？"赵肃侯听了苏秦合纵抗秦的策略，大为欣喜，将他奉为上宾，大行封赏，然后让他去其他各国缔结盟约。

于是苏秦先后游说韩、魏、齐、楚四国，四国国君都采纳了苏秦的建议。因此六国结盟，苏秦成为主持六国联盟的纵约长，兼任六国的国相。他回赵国复命时，车马随从之多，可与君王相比。

苏秦带着这些车马随从经过家乡时，风光无限，昔日嘲笑他的兄嫂都谦卑地跪在地上伺候他用饭。苏秦笑着问："嫂子，您如今怎么如此谦卑？"

"现在您地位尊贵，钱财众多啊！"他的嫂子恭敬地回答。

苏秦说："同样是我，富贵时，亲戚就敬畏我；贫贱时，他们就轻视我。亲戚尚且如此，何况那些不相干的人呢？假如我当时听了嫂嫂的话，现在怎么可能拥有这六国的相印呢？"

苏秦合纵

后来，苏秦到了齐国，齐宣王奉苏秦为客卿。宣王死后，齐湣（mǐn）王继位。齐国很多大臣反对苏秦，甚至还派人刺杀他。苏秦被刺受重伤，湣王大怒，发誓一定要捉拿刺杀苏秦的凶手。苏秦临死前对湣王说："大王，我死了之后，把我五马分尸，对大家说我是燕国的间谍，这样凶手就会自己出现了。"齐湣王按照他说的做，那个凶手果然自己出来邀功了。

## 【知识拓展】

崤（xiáo）山：以古崤县得名，又称嵚崟（qīn yín）山，常与函谷关并称"崤函"之塞，以地势险峻、关隘坚固、易守难攻著称，是陕西关中至河南中原的天然屏障。春秋时期，晋国大败秦军的崤之战，即在此。

史书上记载，崤山有两座遗址，南陵有夏后皋之墓，北陵有周文王避风雨台遗址。

提到崤山，不得不提到一个地理名称——山东。战国时期的山东，是当时秦国人对崤山、函谷关以东地区的泛称。由于战国七雄之中，除秦国以外的韩、赵、魏、楚、燕、齐六国都在崤函以东，故也有"山东六国"之称。

## 燕昭王求贤

燕昭王的父亲燕王哙（kuài）听信谗言，效仿古代尧舜禅让，没把王位传给自己的儿子，却让生性残忍的相国子之为王。子之称王之后，立即除掉了朝中所有与太子亲近的人，换成自己的亲信，而燕王哙对此不闻不问，一心只想做一个臣子。太子平为了保命只好逃走，结果燕国大乱，齐国乘虚而入，子之被杀，燕王哙也自杀。因为燕王哙死的时候是子之在位，所以他死后连个谥（shì）号都没有。

燕国的百姓痛恨子之的残暴，以为齐国发兵是出于好心为燕国平乱，但时间长了，他们才发现，齐国是想借机灭掉燕国。百姓不忍自己的家园被侵略，奋起反抗，同时四处寻找避难的太子，后来他们拥立逃亡的太子平为王，即燕昭王。齐国因为遭到燕国军民的强烈反抗，

只好撤兵。燕国虽然没有亡国，但这次动荡让全国上下都深受打击，成为战国七雄中最弱小的国家。

燕昭王在国难之际登上王位，立志要重振国势，一雪前耻。他凭吊死者，探访贫孤，与百姓同甘共苦。燕昭王虽大力招揽人才，可是一时无从下手。有人提醒燕昭王，老臣郭隗（wěi）很有见识，不如找他商量。

燕昭王登门拜访，对郭隗说："齐国趁我们国家内乱侵犯我们，这个耻辱我是忘不了的，但是现在燕国国力弱小，还不能报这个仇。要是能有贤人来帮助我报仇雪耻，我甘愿伺候他。您能不能推荐这样的人才呢？"

郭隗说："大王，您想招纳天下贤士，应该首先重用国内的贤士，给他们以礼遇优待。您父亲留给别人的印象实在太差了，所以您必须拿出诚意，建立一个礼贤下士、积极健康的形象，这样才能打消天下贤士的疑虑。天下百姓都知道您礼贤下士，真正的贤人自然会不远千里来投奔燕国。"燕昭王有些疑问："你说的道理我明白，请你说一说我该怎样做才能显得真诚吧。"于是，郭隗给燕昭王讲了一个"千金买骨"的故事。

古时候有位国君特别喜爱千里马，他派使者四处寻找千里马，只要找到千里马，就以千金重价买下。可是三年过去了，他连一匹千里马也没有买到，这让国君

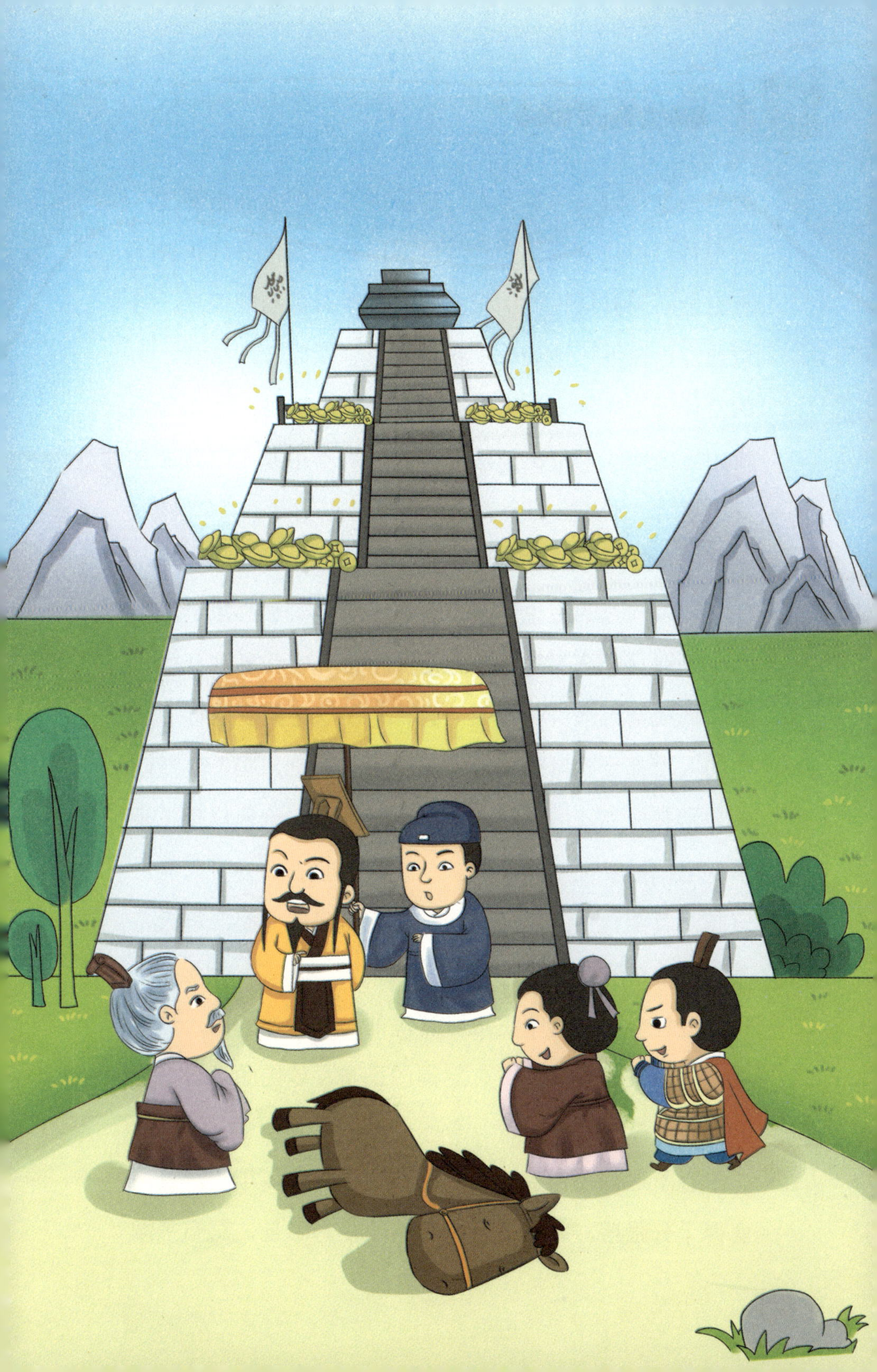

很是困扰。一天，有个人自告奋勇带了千金外出买马，三个月后，他只带了一具马骨向国君交差，并且花费了五百金。国君很生气，想责罚这个没有头脑的使者。这位使者不慌不忙地说："我花五百金买来一副马骨，为的是让天下人都知道您真心爱马，诚心寻马。连死马都肯用重金购买，何况是活马呢？以后不用派人到处去寻找千里马，不久自然会有人将千里马主动奉上。"果然，不到一年时间，国君得到了真正的千里马。

郭隗向燕昭王说道："现在大王您若真心求贤，不妨也采取'千金买骨'的办法。可以先从我郭隗开始，把我当成贤人来对待。天下的真正贤人见到我这样不入流的人物都受到厚遇，他们还会不来投奔您吗？"燕昭王非常赞成郭隗的主张，便尊郭隗为师，给他修建了豪华住宅，提供优厚的待遇。此外，燕昭王还为贤人能士筑起"黄金台"。燕昭王为了表示自己的诚心，每天拿着扫帚亲自清扫台上的灰尘。

这样一来，燕昭王求贤若渴的美名传遍各国，许多贤士纷纷来投奔，其中有赵国的剧辛、魏国的乐毅，他们都是很杰出的人物。

有了这些杰出人才的竭忠辅佐，二十多年后，燕国变得十分强盛，人民富裕，兵精粮足。于是，燕昭王派

燕昭王求贤

乐毅为将军，出兵攻齐，连战连胜，最终攻破齐国都城临淄（zī），齐湣王也狼狈而逃。燕昭王终于一雪前耻，而燕国也进入全盛时代。

【知识拓展】

谥号：在古代，有地位的人死后，朝廷会依据其生前所作所为给他一个称号，作为对他生平行为的评价。帝王的谥号由礼官议论后给出，臣子的谥号则由朝廷赐予。谥号用来高度概括一个历史人物的生平，是对一个人的盖棺论定。谥号有褒扬类的美谥、同情类的平谥、贬义类的恶谥三种。

# 鸡鸣狗盗

田婴是齐威王的小儿子，被齐王封在薛地。田婴有很多儿子，其中有一个是地位卑贱的小妾所生，名叫田文。田文富有谋略，建议父亲田婴广散钱财，蓄养心腹之士。他曾问父亲："儿子的儿子叫什么？"

"叫孙子。"

"那孙子的孙子呢？"

田婴回答道："叫玄孙。"

田文又问："玄孙的子孙叫什么？"

"这我就不知道了。"

田文说："您担任齐国宰相，已历经三代君王，可是齐国的领土没有增加，您自己却积蓄了万金财富，但是，门下没有一位贤能之士。俗话说，将军的门庭必出将军，宰相的门庭也必有宰相。现在您的姬妾可以肆意

鸡鸣狗盗

践踏绫罗绸缎，国内的贤士却穿不上粗布短衣；您的仆人吃饭时经常剩下饭食肉羹，而贤士连糠菜也吃不饱。在这样的情况下您还一味地积攒财富，想要留给那些连称呼都叫不上来的人，却丝毫不考虑自己的国家在诸侯中逐渐失势的情况。这是很奇怪的。"

田婴听了这番话，大为警醒，把家事都交给田文打理，还让他接待各国的来客。在田文的主持下，田家宾客来来往往，从不断绝，而田文的名声也逐渐传播到诸侯国中。田婴死后，田文接班做了薛公，号为孟尝君。

孟尝君四处招揽人才，不管是谁，不管其才能如何，只要来到他这里，就帮其解决生活上的顾虑，并提供食宿。这样，孟尝君门下收养的食客多达几千人。

孟尝君不但礼贤下士，而且虚心接受意见，只要提出的意见正确，他都采纳。一次，孟尝君出使楚国，楚王送他一张象牙床。孟尝君让登徒直将象牙床护送回国，但是登徒直害怕损坏象牙床而遭到处罚，不愿意接下这个差事。他找到孟尝君的宾客公孙戌，请求他帮助自己免去这个差事，并以一把祖传宝剑作为报酬。公孙戌答应下来，然后面见孟尝君，劝他不要接受楚王的象牙床，孟尝君听从了他的建议。后来，孟尝君得知公孙戌的动机，并没有责怪公孙戌，反而令人在门

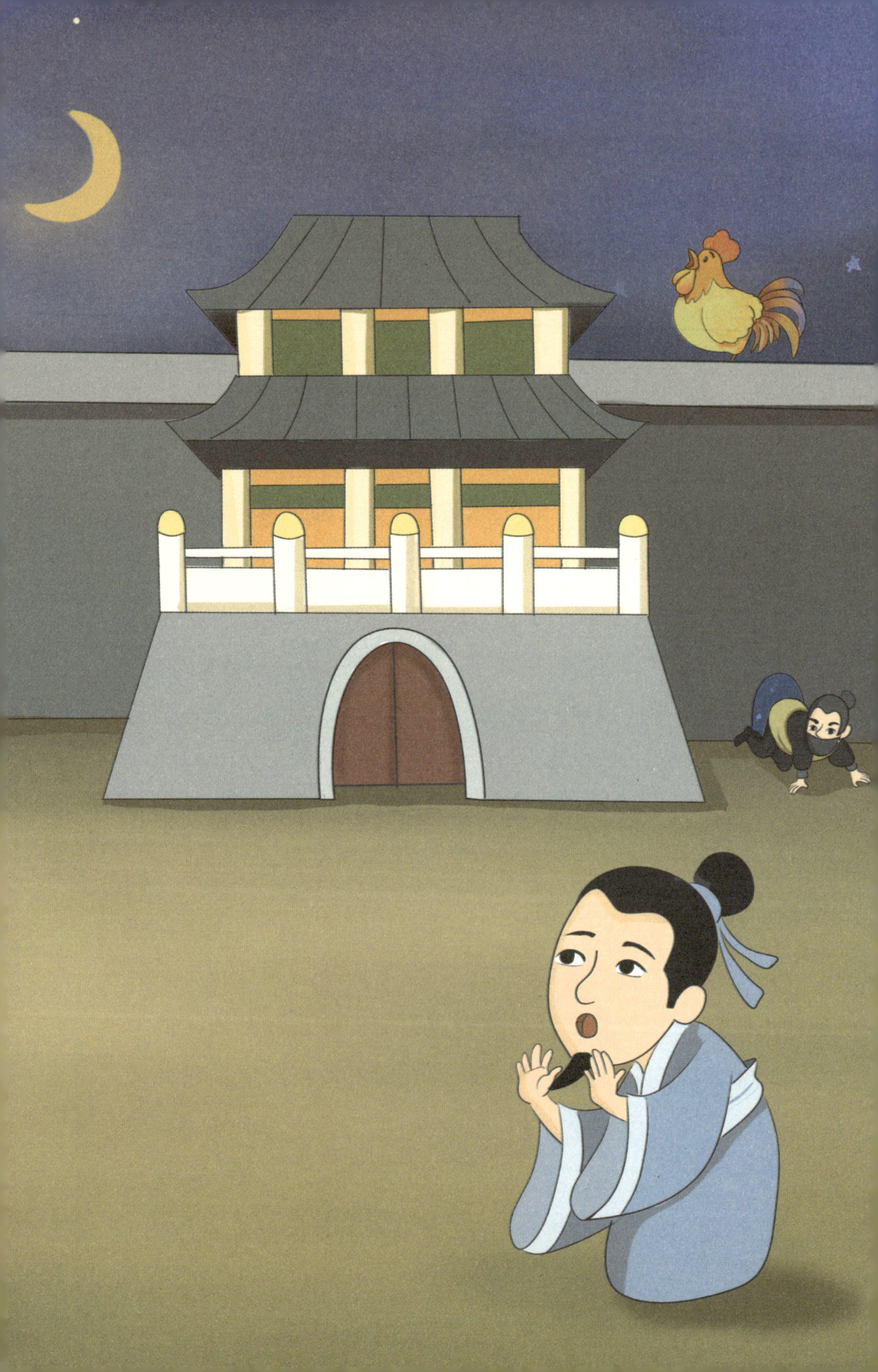

鸡鸣狗盗

上贴出布告："不管是什么人,只要能弘扬我田文的名声,劝止我田文的过失,即使他私下接受别人的馈赠,也没关系。"

前299年,齐湣王派孟尝君再次出使秦国,素闻孟尝君贤能的秦昭王想让孟尝君留下来担任秦国相国。秦昭王手下人劝谏说:"孟尝君确实非常贤能,但是他出身齐国王族,如果让他担任秦国相国,他肯定会先考虑齐国然后才轮到秦国,这样的话,秦国就危险了。"秦昭王觉得这番话有理,便打消了任用孟尝君的念头,而将他软禁起来。

孟尝君知道秦昭王有谋害之意,便寻找脱身之计,派手下宾客向秦昭王最宠幸的妃子求救。这个妃子表示愿意施以援手,不过她有个条件,就是想要孟尝君的白狐裘作为报酬。孟尝君是有一件白狐裘,价值千金,天下无双,但是这件白狐裘在入秦时已经献给秦昭王,身边也没有其他的白狐裘了。

孟尝君聚集门下食客商量对策。孟尝君向所有同行而来的门客问了个遍,也没有人能说出好办法。这时候,坐在末座的一个门客对孟尝君说:"我可以拿到白狐裘。"等到夜深,这个宾客伪装成狗,潜入秦宫贮存宝物的地方,将白狐裘偷了出来。孟尝君将白

狐裘献给那位妃子后，妃子立即向秦昭王求情，秦昭王将孟尝君一行人释放。

孟尝君逃出牢笼，立即向关外驰骋而去。夜半时分，孟尝君一行人来到函谷关。不久，秦昭王开始后悔答应放走孟尝君，于是派人去孟尝君的住处一探情况，发现孟尝君早已离开，当即命人追赶。而来到函谷关的孟尝君，想出关却不得，因为当时函谷关的法令规定，只有在鸡鸣天亮之后才能放人出关。孟尝君担心秦兵会追来，心急如焚，就在这时，一个门客学了几声鸡叫，函谷关的公鸡都跟着叫起来。听到鸡叫的守关将士打开关门，孟尝君一行人这才逃出了秦国。

当初，孟尝君把这两个人安排在门客中的时候，其他门客无不感到羞耻，觉得脸上无光，等孟尝君在秦国遭到劫难，最后靠这两个人脱离险境后，门客们都佩服孟尝君广招宾客而不分人等的做法。

鸡鸣狗盗

## 【知识拓展】

齐国孟尝君田文是"战国四君子"之一，以能吸纳人才而闻名。北宋政治家、文学家王安石却写了一篇文章《读〈孟尝君传〉》，认为孟尝君只不过是鸡鸣狗盗之徒的头目而已，并非真正善于吸纳人才。他完全可以凭借齐国的强大力量，得到一个真正的人才，南面称王。正因为鸡鸣狗盗之辈出入他的门下，才阻碍真正的人才的到来。

王安石的原文如下：

世皆称孟尝君能得士，士以故归之，而卒赖其力，以脱于虎豹之秦。嗟乎！孟尝君特鸡鸣狗盗之雄耳，岂足以言得士？不然，擅齐之强，得一士焉，宜可以南面而制秦，尚何取鸡鸣狗盗之力哉？夫鸡鸣狗盗之出其门，此士之所以不至也。

## 乐毅伐齐

乐毅是魏国名将乐羊的后代,魏昭王给了他非常丰厚的封赏,但是没有给他兵权,而是让他做了一个外交官。即使没有做将军,乐毅的锋芒也吸引了很多人的目光,其中就包括正在广招贤士的燕昭王。

一次,魏昭王派乐毅出使燕国。燕昭王为了打败齐国,一雪前耻,到处招揽人才,于是很想把乐毅留在燕国。但是,乐毅的身份是魏国使臣,如果就这样把他留下来,可能会引起一场外交纷争,于是燕王修书向魏昭王说明情况。魏昭王得到信后,回复说愿意让乐毅留在燕国。

乐毅很快成了燕国的副国相。燕昭王得到乐毅后十分高兴,连忙向乐毅请教国事。但乐毅对燕昭王的问话全都采用逃避的策略,这让燕昭王很不痛快。最终乐毅在燕国沉寂下来,每天和朋友钓钓鱼,喝喝酒,日子过

乐毅伐齐

得不亦乐乎。这些消息很快传到魏昭王的耳朵里,魏昭王笑着说:"还好我们没用他!祖上是名将,子孙可未必啊!"

这样过了一段时间,燕昭王对乐毅由满怀希望变成失望,最后已经对他绝望了。正当燕昭王决定给他一块封地,让乐毅回去养老的时候,乐毅却在一个深夜穿着盔甲来到了燕昭王的宫殿。原来,乐毅之所以表现得放荡不羁,一是为了麻痹大国的神经,二是等待一个适合攻打齐国的机会,如今这个机会来了。齐湣王在灭掉宋国后十分骄傲,连续向南侵犯楚国,向西攻打赵、魏、

韩国，想自立为天子，引起了诸国的不满。

燕昭王与乐毅商量伐齐大计，乐毅认为仅凭燕国一己之力还不足以战胜齐国，应当联合其他诸侯国共同讨伐齐国，于是派出使者前往各国。各国苦于齐王的骄横暴虐，都同意参加燕国的攻齐战争。

于是燕昭王征调全国兵力，以乐毅为上将军。秦国尉斯离率军队前来助阵，韩、赵、魏联军也前来会合，联合大军由乐毅统一指挥。齐湣王听闻联合大军前来进犯，下令调集全国兵力进行抵抗，双方在济水西岸大战。乐毅临阵指挥，率领五国联军向齐军发起猛攻。齐湣王大败，率残军逃回齐国都城临淄。

首战取得胜利后，乐毅撤去秦国和韩国的军队，令魏军分兵两路进攻宋国旧地，令赵军去收复河间，自己则亲率燕军，从北面长驱直捣齐国都城临淄。

燕昭王得知消息后，大为欣喜，亲自到济水上游犒劳将士。燕昭王得以一雪前耻，乐毅功不可没，于是燕昭王将他封为昌国君，留在齐国指挥燕军继续攻占其他城市。

燕军乘胜对齐国其他城市发起攻击，齐军望风披靡。乐毅整肃军纪，禁止抢掠，每攻占一座城池，都会寻访齐国的隐士高人，以礼相待。乐毅还下令减轻齐国百姓

乐毅伐齐

的赋税，废除苛刻的法令，恢复齐国旧有的良好传统，这些举动都得到齐国百姓的拥戴。另外，乐毅还亲自祭祀齐桓公、管仲等先贤，表彰齐国的贤良人才。通过这些举动，齐国人接受燕国爵位的有一百多人。六个月之内，燕军攻下齐国七十余座城，设立郡县治理。

齐国大小城池都被燕军占领，只剩下莒（jǔ）和即墨两座城邑，其余全部并入燕国的版图，燕国前所未有地强盛起来。乐毅认为，单靠武力能够破城但不能降服民心，民心不服，就是占领了全部齐国，也无法巩固。所以，他对莒城、即墨采取了围而不攻的方针，对已攻占的地区实行减赋税，废苛政，尊重当地风俗习惯，保护齐国的固有文化，优待地方名流等收服人心的政策，欲从根本上瓦解齐国。

但是计划赶不上变化，燕昭王竟然在这个时候过世了，燕惠王继位。燕惠王还是太子的时候，就与乐毅有矛盾，因此对乐毅不是很信任。齐国的田单得知这一情况后，使用反间计，离间他们君臣。结果燕惠王中计，撤换乐毅。

乐毅接到命令之后，知道新君不信任自己，回燕国恐怕凶多吉少，便回到故乡赵国。

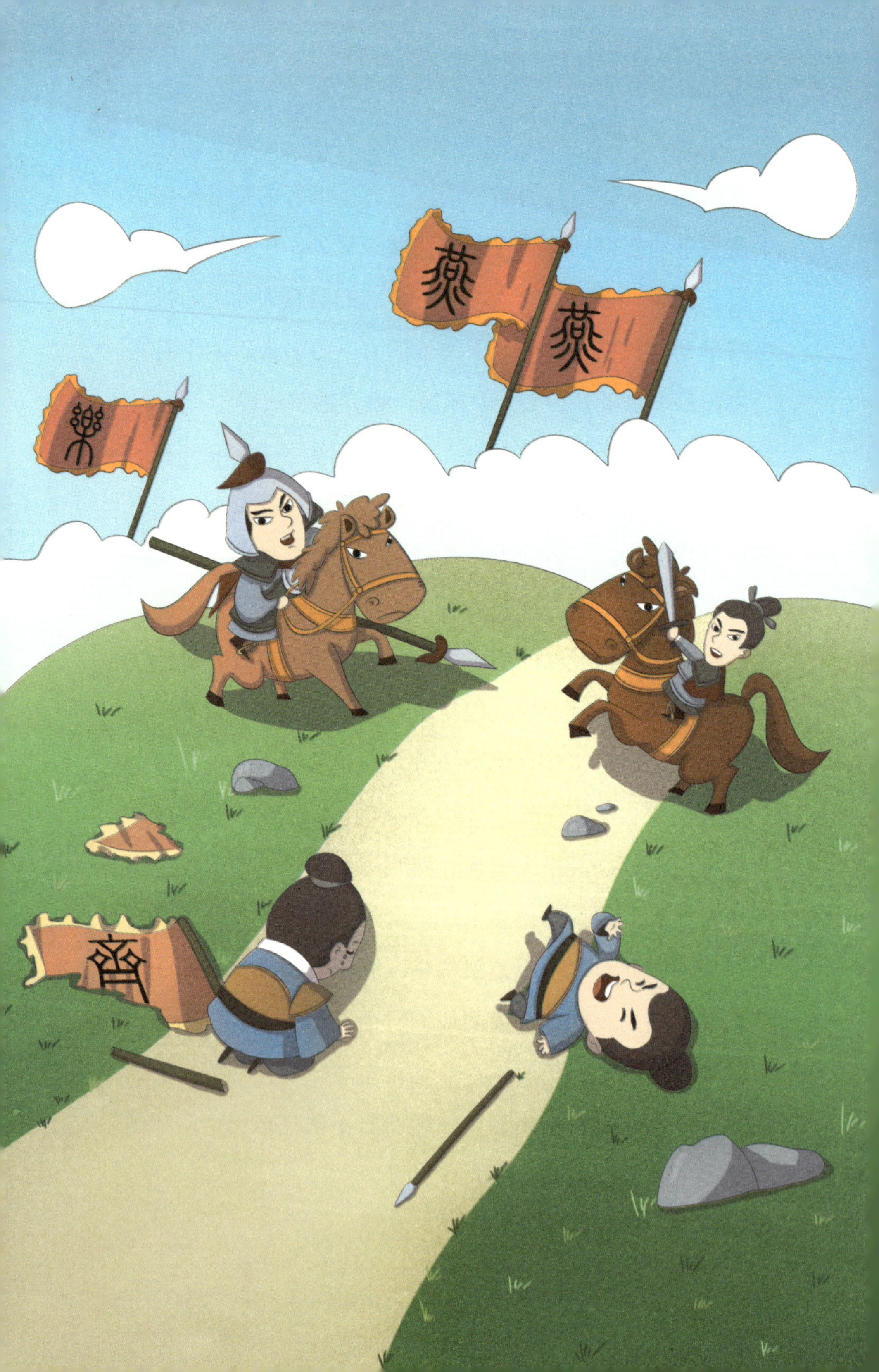
樂
燕
燕
齊

## 【知识拓展】

魏文侯命令乐羊攻打中山国，乐羊之子乐舒在中山国为官。乐羊出兵后，由于敌强我弱，实行缓兵之计。消息传来，群臣污蔑乐羊通敌。此时，中山国又烹杀乐舒，煮成肉羹送给乐羊，乐羊喝完所有肉羹，随后大败中山国。

魏文侯对睹师赞说："乐羊为了我的国家，竟然吃了自己儿子的肉。"睹师赞却说："连儿子的肉都吃，还有谁的肉他不敢吃呢！"魏文侯虽然奖赏乐羊的战功，将其封在灵寿，却也认为乐羊残忍，没有父子骨肉之情。

## 田单复齐

**前**284年,齐国被燕将乐毅连下七十余座城池,只剩下莒和即墨两城。随后这两座城池也被燕军重兵包围,齐国危在旦夕。

齐湣王四处奔逃,最后被人杀死。齐湣王的儿子法章在莒被拥立为王,即齐襄王。襄王带领着百姓拼死抵抗燕军的进攻,坚守莒城。乐毅围攻两城,一年未能攻克,便想要攻心破城,于是下令解除围攻,退至城外九里处修筑营垒,形成相持局面。

莒城被燕军的右军和前军包围,而即墨则处于燕军的左军和后军的包围之中。即墨地处富庶的胶东地区,是齐国较大的城邑,物资充裕,人口较多,具有一定防御条件。即墨被围不久,即墨大夫出战身亡,有人便推举田单为守将率领军民抵御燕军。

## 田单复齐

田单是齐国宗室的远亲，最初他只是一个管理集市的小官，没有名声。当初燕军攻打齐国的安平时，田单正在城中。城破时，他只能带着族人逃亡。在逃跑的过程中，田单发现，车子的木车轴露在外面很容易损坏车子，也影响赶路的速度，就让族人把车轴过长的部分锯掉，再用铁箍包住。很多人因为车子受损被燕军抓住，而田单一家因为改良了车子而顺利逃到即墨。

田单成为守将后，与城中军民同甘共苦，把自己的家中老小也全部编入队伍，日夜守城。就这样，齐燕两军相持了五年。

前279年，燕昭王去世，燕惠王即位。田单知道这一情况后，使出一计离间燕惠王和乐毅，他派人到燕国散布谣言说："现在齐王已经死了，齐国只剩下两座城池。而乐毅与燕王不和，怕自己回去被杀，所以他想在齐国称王。因为齐国的百姓还没有归顺，所以他就放缓了进攻即墨的速度。如果现在换成另一名大将，即墨就彻底完了。"燕惠王本来就疑心乐毅，现在又听到传言，对乐毅更加不放心，于是令骑劫代替乐毅成为大将。乐毅离开后，燕军将士都感到非常气愤，军心动摇。

田单命人散布消息，说："齐国军民最担心的就是燕军割掉俘虏的鼻子，然后让他们作为先导，那即墨城

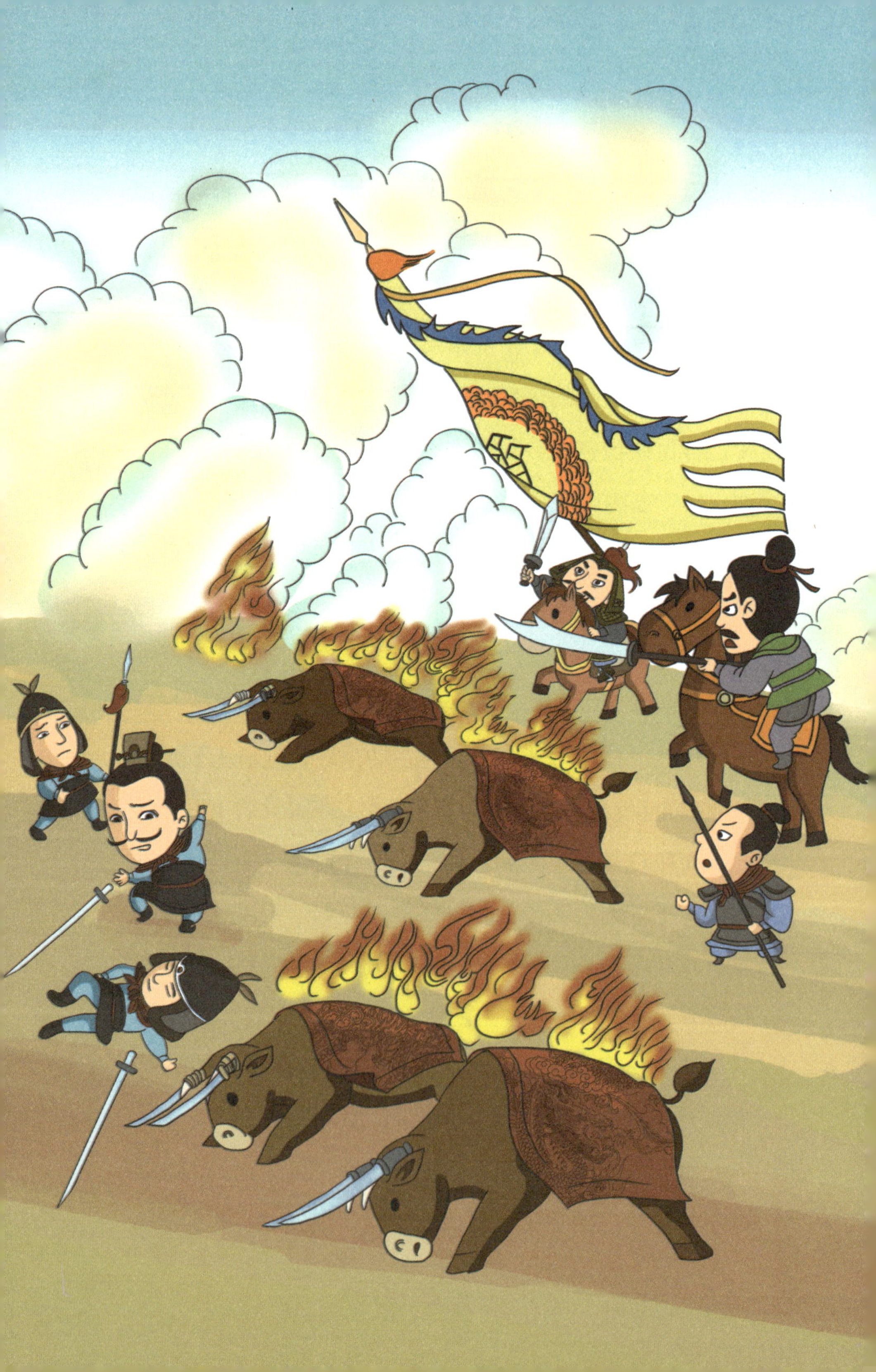

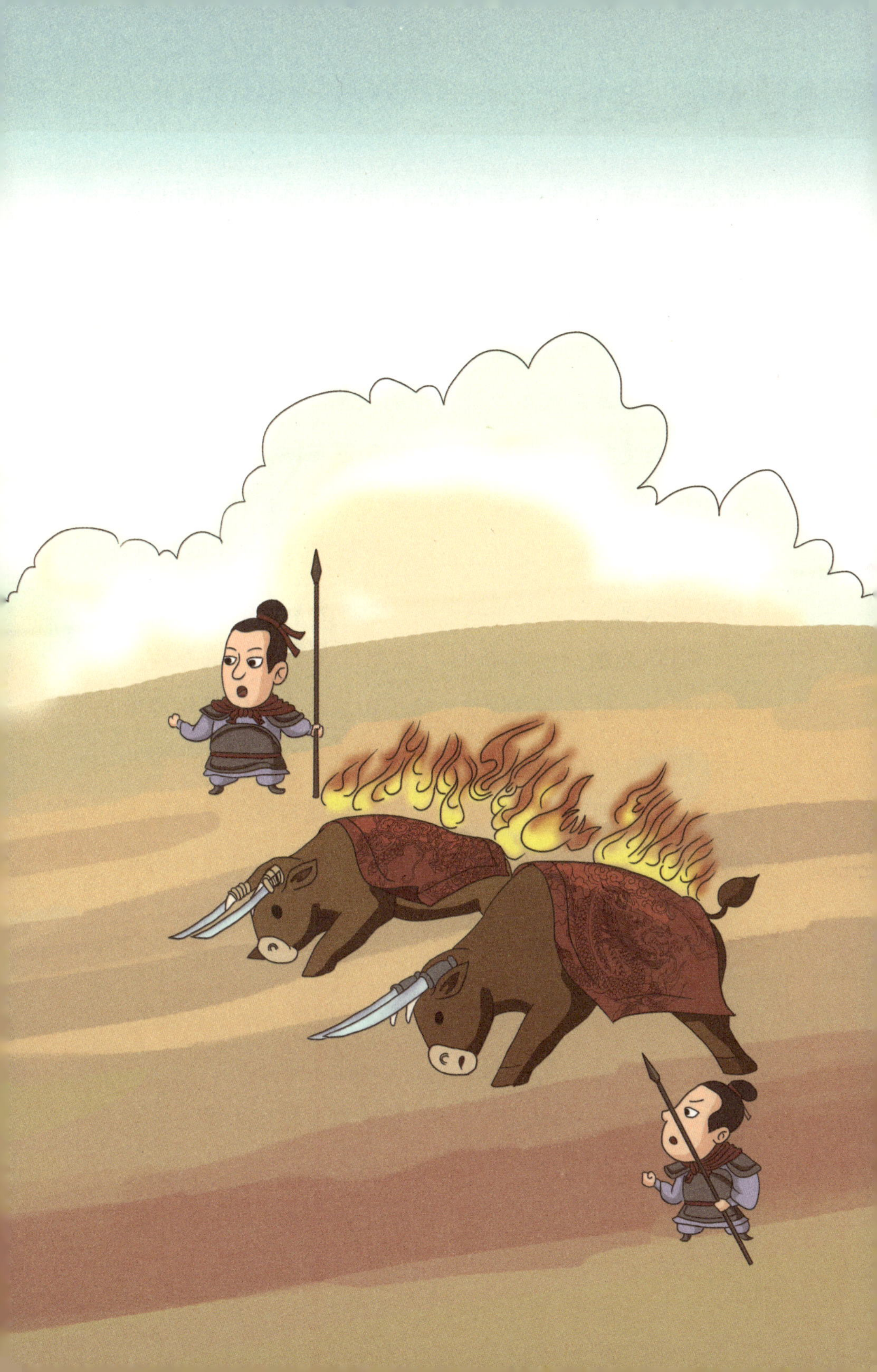

就必破无疑了。"燕军听说后，信以为真，将抓到的俘虏全部割去鼻子。即墨的守城将士看到投降燕军的人被割去鼻子，愤慨不已，于是抛弃投降的念头，决心死守即墨。之后，田单又使出一计，散布消息说："齐国军民最担心的就是燕军挖掘城外的坟墓，这样齐国军民的士气就会受到严重打击，那即墨城就危险了。"燕军再次中计，将城外的坟墓全部掘毁，并焚烧尸体。齐国军民在城上看见燕军将自己先辈的坟墓掘毁，都痛哭流涕，请求出城与燕军决一死战。

田单知道这时候将士可以死战，于是修筑城防，犒劳将士，准备出城收复失地。田单命令城中百姓募集一千镒（yì）金银（镒，古代重量单位，二十两为一镒，另一说二十四两为一镒），让即墨城的富豪送给燕军大将，说："我们马上就投降，请不要抢劫掠夺我们的家族！"燕国将军大喜，立刻应允。于是，燕军的戒备更加松懈。

田单觉得时机已到，派人从城里搜集了一千多头牛，又找人给牛披上大红绸子，上面画上五颜六色的蛟龙，又在牛角上绑了锋利的尖刀，最后在牛尾巴上拴上一束沾满油脂的芦苇。

到了晚上，田单命令士兵在城墙上凿了几十个大洞，

田单复齐

然后点燃了牛尾巴上的芦苇，把牛趁着夜色放了出去，然后安排五千士兵跟在牛群后面。牛被烧得疼痛难忍，疯狂地往前冲去。

燕军听到外面一阵喧哗，出了营帐就发现一大群怪物冲着他们飞奔而来，碰到这些怪物的人都非死即伤。狂奔的牛群在前边开路，五千精兵跟在后边见燕军就杀。那些不能上阵杀敌的老弱妇孺，也都拿着铜盆敲打助威。燕军惊慌失措，四处逃窜。齐军乘胜追击，一直追到黄河边上，丢失的七十多座城池全部收回。随后，田单把齐襄王从莒城迎回齐国的都城临淄。

齐襄王为了奖励田单复国的壮举，封他为平安君。

## 【知识拓展】

莒城：今莒县，位于山东日照。莒文化与齐文化、鲁文化并称为山东三大文化。

"勿忘在莒"的典故就出在这里。春秋时期，齐国内乱，鲍叔牙与公子小白流亡至莒国。齐国再次发生政变后，小白返回临淄，是为齐桓公，后成为五霸之首。有一天，齐桓公、管仲、鲍叔牙、甯戚等四人在一起饮酒，饮到高兴处，桓公得意忘形。鲍叔牙提醒他不要忘记出亡在莒的日子，勿忘当年的苦难。

# 秦国名相范雎

范雎（jū）是魏国人，他想用自己的才学帮助魏国成为一个大国，但是因为家境贫寒，没有人引荐，只好投奔魏国的中大夫须贾，希望有朝一日能够出人头地。

一天，魏王派须贾到齐国拜见齐襄王，范雎随行。到了齐国，齐襄王先把须贾狠狠地数落了一番，因为魏国曾经与燕国一起攻打齐国，须贾唯唯诺诺不敢回话。站在一旁的范雎挺身而出，极力替主人解围。

结果须贾并没有因此而感激范雎，反倒是齐襄王对他赞许有加，派人送给他黄金十斤、牛肉和酒。身为正使的须贾则备受冷落。

回到魏国后，须贾越想越生气，就把范雎在齐国受到齐襄王优待的事情告诉了丞相魏齐。魏齐认定范雎通

敌卖国，就派人把他打得遍体鳞伤，肋骨都折断了好几根。范雎只好假装死去，躺在血泊中一动不动。仆人向魏齐报告时，他喝酒正喝得尽兴，就挥挥手叫人把范雎用席子裹起来扔进厕所，还让宾客轮番向席子上撒尿侮辱范雎。

等到天色暗下来，范雎悄悄睁开眼睛，见只有一名卒吏在看守，便对他说："我肯定活不了了，希望你能把我送到家，改天一定让家人用重金感谢您！"卒吏见他可怜，又贪图钱财，就把他送回了家里。他的好友郑安平帮忙把他藏了起来，给他改名叫张禄。

后来郑安平听说秦国的使者王稽来到魏国，就把范雎推荐给他。王稽偷偷地把范雎带回秦国。

不过，秦昭王对这些所谓的"名士"并没有好感，认为他们都是凭着一张嘴混饭吃的，所以范雎一直没有机会与秦昭王讨论国事。范雎见自己不受重视，便写了一篇针砭时弊的文章上呈秦昭王，这才引起了秦昭王的重视。

秦昭王召他进宫面谈。范雎来到宫门口，看到秦昭王从对面过来，丝毫没有躲避的意思。旁边的宦官急忙上前："大王来了怎么不回避？"范雎故意提高声音说道："秦国哪里有大王，只有太后和穰（ráng）侯！"

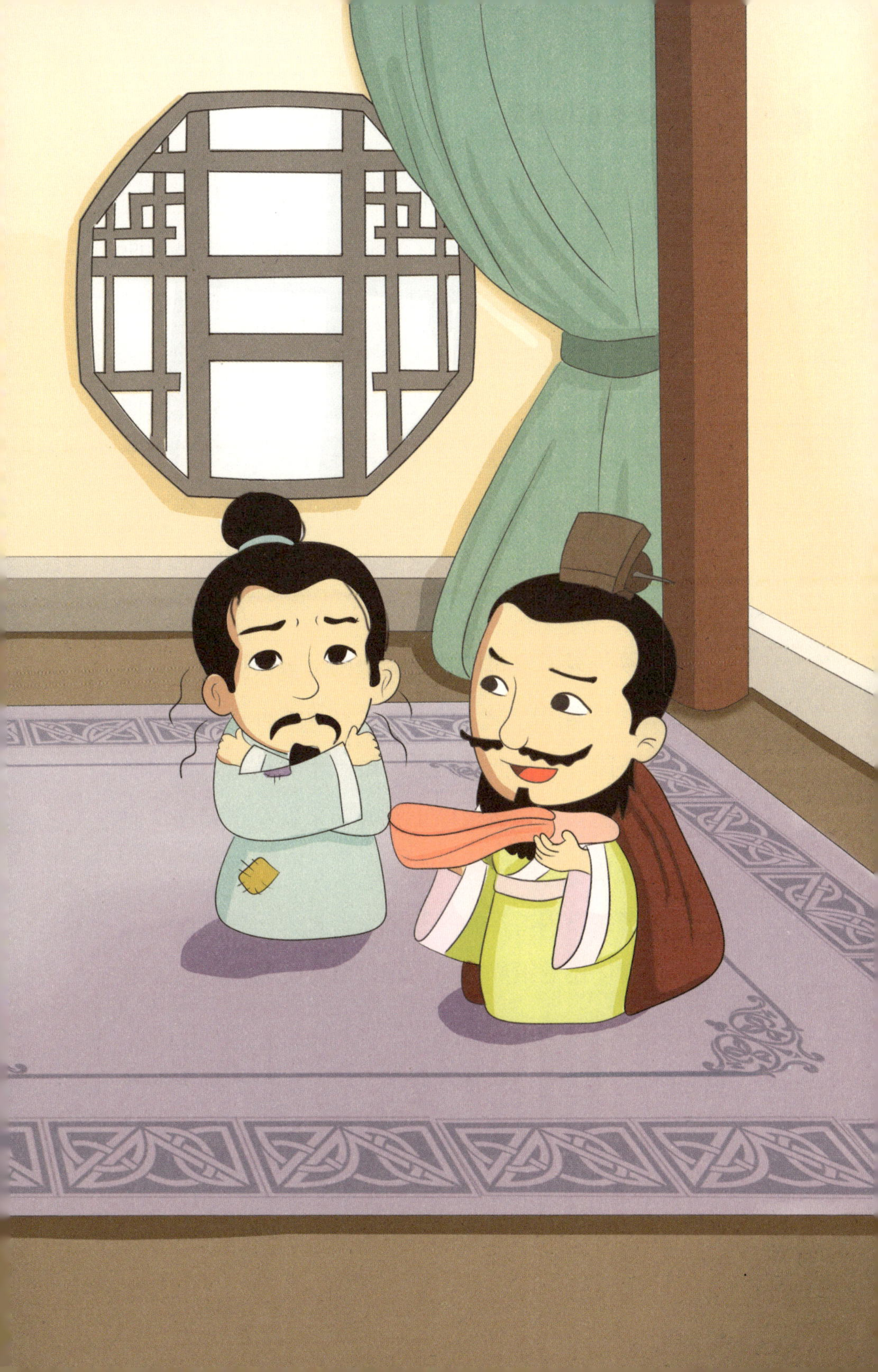

原来当时的朝政都是由太后和她的弟弟穰侯把持。虽然是讽刺秦昭王，但是也说到了秦昭王的痛处，于是秦昭王就把他领进密室秘密商谈国事。范雎着重分析连横策略已经过时，远攻齐国尤其大错特错，指出秦国的外交方针应该是远交近攻。他对秦昭王说："王不如远交而近攻，得到一寸土地则王之寸也，得到一尺土地亦王之尺也。"秦昭王采纳了他的政策，拜范雎为相。秦昭王在范雎的辅佐下，势力越来越强大，因此对范雎也十分信任。

范雎做了秦国的相国，还被秦昭王封为应侯，但仍然自称张禄。魏国听说了秦国远交近攻的方针，准备攻打韩、魏两国，急忙商议对策。第一步就是派人去贿赂秦国的决策人张禄，请求停止对魏国采取军事行动，而这位使者正是当年迫害范雎的须贾。

须贾来到秦国，范雎身穿破衣去见他。须贾惊奇地说："范叔你还是很好啊！"然后留下范雎吃饭，又拿出一件丝袍送给他。范雎便为须贾驾车前去丞相府，到了丞相府，范雎说"我先去通报一声"，结果进去很久也没有出来。须贾感到奇怪，问丞相府的守门人。守门人回答说："没有什么范叔，刚才进去的就是丞相张先生。"须贾大惊失色，跪行进去谢罪。范雎坐在上面，怒斥他说："你之所以还能不死，是我念你赠送丝袍，还有一丝照顾故人的旧情！"于是大设酒宴，招待各国宾客，令须贾坐在堂下，放一盘黑豆、碎草之类的喂马饲料让他吃，然后命令他回国告诉魏王："砍下魏齐的头送来，不然，就杀尽魏都大梁城的人！"须贾回国，把这番话告诉魏齐，魏齐只好逃奔赵国，藏匿在平原君赵胜家里。秦昭王知道范雎曾经受过魏齐的侮辱，就设计把平原君骗到秦国，要求赵国用魏齐的首级来换，走投无路的魏齐只好自杀。

范雎有仇必报，别人的恩情他也没有忘记。他向秦昭王推荐了曾经救过他的郑安平和王稽。但是郑安平领兵打仗，竟然兵败后投降敌军，范雎为此感到内疚。秦昭王为了保护范雎，颁布命令："不许任何人提郑安平的事情，否则按叛国罪论处。"

范雎为秦国立了大功后选择功成身退，是秦国难得的得享善终的丞相。

## 【知识拓展】

秦昭王：即秦昭襄王嬴稷。秦惠文王之子，在位五十六年，任用包括魏冉、范雎、白起等名臣，治军备战，富国强兵，发动了著名的伊阙之战、五国伐齐、鄢郢之战、华阳之战和长平之战，为其曾孙嬴政奠定一统天下的基础。

## 长平之战

前262年,秦昭王听从范雎"远交近攻"的策略,首先对韩国发动大规模进攻。韩国的野王(今河南沁阳)被秦将武安君白起攻占,上党郡与外界的通道也被切断,而韩国国内正遭受着秦军的攻击,很难分出精力来顾及这个边远的小地方。于是上党郡守冯亭与部下商议,上党被破是必定的,与其投降秦国,不如投降赵国。如果赵国接受上党,那么秦国必定会攻打赵国,这样韩、赵两国就会联合起来对抗秦国。于是,冯亭派遣使者带着上党的地图到了赵国。

赵孝成王听说不费一兵一卒就能得到十七座城池,便不听大臣的劝谏,开心地接受了。赵孝成王接受上党,果然惹恼了秦国,秦昭王派左庶长王龁(hé)率兵攻打上党,上党被攻破。赵孝成王令老将廉颇率军驻守长

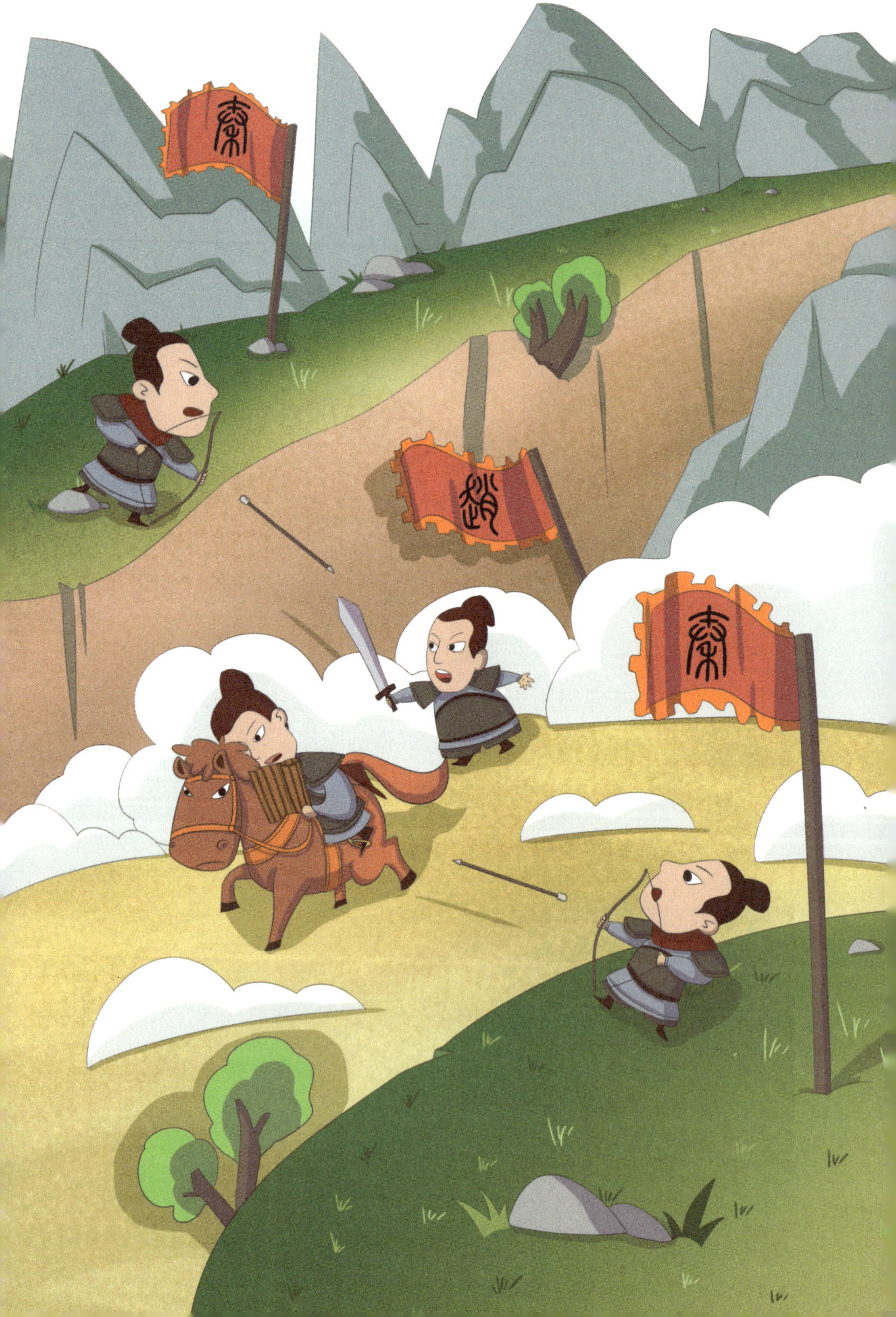
秦
赵
秦

平，接应上党逃来的百姓。王龁于是攻打赵国，赵军遭遇几次败仗，损失数员大将。

吃了几次败仗后，廉颇根据敌强我弱的形势，采取了坚守不出的策略，不管秦军怎么挑战，赵国就是不出兵，两军在长平对垒。赵孝成王以为廉颇因吃了败仗而变得胆怯，不敢出战，多次斥责他。

范雎收买了赵国的权臣，散布流言说："秦国最害怕的是赵奢的儿子赵括，廉颇那个老家伙不足挂齿，他现在不敢出战，就快投降了！"赵孝成王对于廉颇不出战的做法本来就颇有微词，听到这样的流言之后，便准备让赵括代替廉颇。蔺相如劝阻说："大王不要因为赵括的名声就用他，那都是夸夸其谈，他只知道诵读他父亲留下的兵书，却不知道灵活应变。"但是赵孝成王不听，仍然坚持让赵括代替廉颇成为大将。

受家庭环境的影响，赵括自小就学习兵法，喜好谈论兵事，认为天下没有人能比得上自己。赵括曾经多次和父亲赵奢谈论兵事，就连父亲都没有胜过他，却没有得到父亲的称赞。赵括的母亲便问赵奢其中缘故，赵奢说："行军打仗是关系到生死存亡的大事，然而赵括对此却谈笑随意，把战争看得太简单了，显得太轻率。如果赵王不让他带兵打仗还好，否则，让赵国遭受巨大损失的人一定是赵括。"

赵括即将赴命时,赵括的母亲劝说赵孝成王:"赵括不能担任将领。"赵孝成王问其原因,赵括的母亲回答说:"当年他父亲得到的俸禄和赏赐都分给部下,所以他能得到部下死力相助。这些部下一旦受命,连自己家里的事情都不会过问就欣然领命。而赵括则与他父亲完全相反,他趾高气扬且自私自利,所以请大王撤回任命。"赵孝成王仍旧不听。

秦国知道赵括代替廉颇成为大将后,便任命武安君白起为上将军,改任王龁为副将。这一切都是悄悄进行的,因为白起这个名字太有震慑力了。

赵括到了军中,将廉颇制定的军制和调度全部做了更改,而且调换军官,然后下令出击秦军。白起假装战败,引诱赵军追击。赵军一路追到秦军营垒,此时秦军一扫之前疲态,强悍防守,赵军无法击破。白起预先布置好的两支骑兵开始出动,一支骑兵有两万五千人负责切断赵军的退路,另一支骑兵有五千人负责切断赵军的粮道。然后白起派遣一支精锐轻骑兵前往袭击赵军,获得胜利,战斗失利的赵军只好修筑营垒等待救兵。

秦昭王听说赵军的粮道被切断,立即亲自征调士兵前往长平,阻截赵国的救兵。赵军缺乏粮食,向齐国求

救,齐王没有应允。

就这样,赵军被秦军围困,断粮四十六天,军中甚至出现自相残杀的食人行为。赵括技穷,便下令向秦军发起冲击,企图突围,但是都被秦军击退。于是赵括亲自带兵突围,被射死在战场上。四十万赵军见主将已死,毫无战意,便向秦军投降。白起说:"这些赵国士兵反复无常,不全部杀掉,恐怕日后会成为祸患!"于是把赵国的俘虏全部活埋,只留下两百多个年纪小的士兵遣回赵国。

长平一战,秦军先后杀死了赵国四十五万人,赵国上下悲痛不已。平原君求救于楚国和魏国,赵国才暂时摆脱了亡国的危险。

**【知识拓展】**

　　白起：战国时期秦国名将，指挥了许多重大战役，一生七十余战，从来没有败绩，取得了伊阙之战、鄢郢之战、华阳之战、陉城之战和长平之战等的胜利，被封为武安君。白起功高震主，得罪应侯范睢，被接连贬官，最终被赐死。《千字文》将白起与王翦、廉颇和李牧并称为战国四名将，称之为"起翦颇牧，用军最精"。

## 毛遂自荐

长平之战，秦军歼灭赵军主力，然后长驱直入，兵临赵国都城邯郸。赵国倾尽全力死守邯郸，并派平原君赵胜向魏国和楚国紧急求援。

平原君赵胜是赵武灵王的儿子、赵惠文王的弟弟，为人礼贤下士，因而在赵国有很高的威望，与齐国的孟尝君、楚国的春申君、魏国的信陵君合称"战国四公子"。此次国难当头，平原君被赵孝成王派往楚国签订"合纵"抗秦的盟约。

平原君打算，如果能以和平的方式与楚国缔结盟约当然最好不过，如果和平的方式行不通，就是用歃血的方式也要和楚国缔结盟约。于是他打算在自己的众多门客中，挑选二十个文武兼备、有勇有谋的人与自己一同前往楚国。平原君挑来挑去，只挑出来十九个人，其他

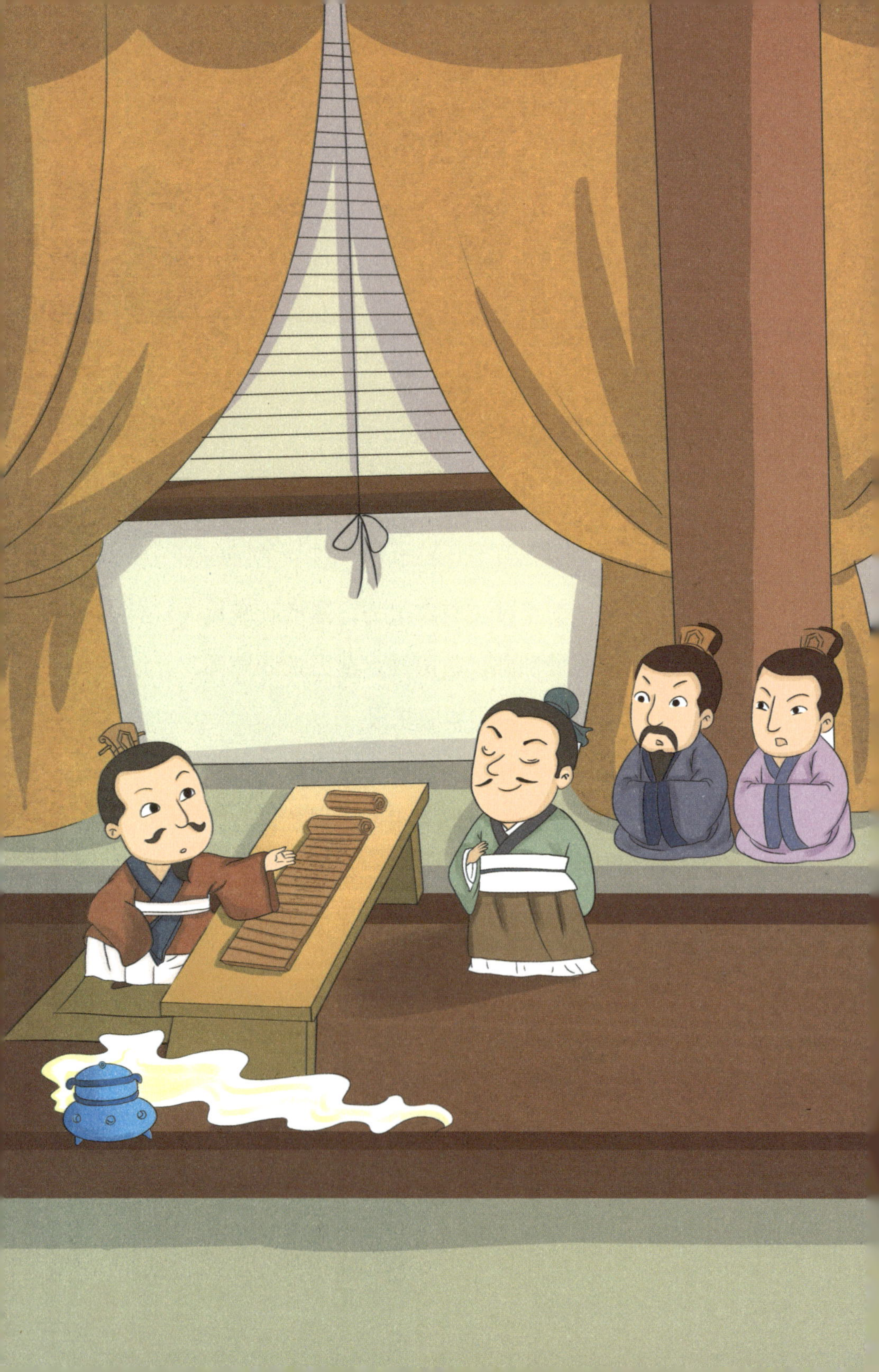

的人都不足以选取，人数没办法凑齐。

这时，一个叫毛遂的人向平原君推荐自己，他说："我听说先生奉命前往楚国缔结盟约，约定与门下食客二十人前往，现在还差一个。我愿意凑足二十个人，一起到楚国去。"

平原君上下打量了他一番，毫无印象，就问："先生来这里多久了？"

毛遂回答说："已经三年了！"

平原君说道："我听说如果是贤士，就好像尖利的锥子放在布袋里一样，马上就会露出锥尖来。而先生在我这里已经三年，却没有任何人向我称赞你，我也没有听到过你的一言一策，大概是因为先生你没有才能。先生不适合一同前去，还是留下来吧。"

毛遂不卑不亢地说："锥子只有先得到在袋子中的机会才能露出锋芒啊，如果我早就在袋子中，现在恐怕整个锥子都会露出来，不只是锥尖了！"

看到毛遂非常自信的样子，平原君同意了他的请求。同行的另外十九人都嘲笑毛遂自不量力，只是没有说出来。

到了楚国，平原君与楚王谈判，反复说明"合纵"抗秦的利害关系，从早上一直谈到中午，但楚王仍然犹豫不决。站在底下的毛遂急了，他手拿着剑从石阶上走到平原君身边，对平原君说："合纵抗秦对两国都有利，不合纵则两国都会受损，两句话就能解决。可是从早上一直谈到中午还没有决断，这是为什么？"

楚王先问平原君："他是干什么的？"

平原君回答说是自己的门客，楚王对毛遂说："我在跟你的主人说话，你来干什么？快下去！"

毛遂攥紧剑，逼近楚王说："大王敢这样呵斥我，只不过是仗着楚国的军队多罢了。可是现在我跟大王之间的距离不到十步，您的性命已握在我手里，军队再多，此刻也帮不了您的忙。况且，我听说商汤以七十里的地方统一天下，周文王以百里的土地使诸侯称臣，难道是因为他们人多势众吗？完全是因为他们能够凭借已有的条件而奋发图强。如今，楚国有方圆五千里的土地，上百万披坚执锐的士兵，这是成就霸业的资本。凭借这样的条件，楚国应当横行天下才对。而一个小小的白起，率领区区几万人前来攻打楚国，一战而拿下鄢（yān）、郢（yǐng），二战烧掉夷陵，三战已将楚国宗庙夷平，侮辱楚王祖先。这是百世难解的仇怨，连赵国都替你感到羞愧，而大王却不以为难堪。现在提倡联合抗秦，实在是为了楚国，而不只是为赵国啊！楚王连声答应说：

毛遂自荐

"是啊，是啊！我愿意把整个国家献给合纵抗秦的联盟。"

毛遂问："决定合纵了吗？"

楚王说："决定了。"

毛遂对楚王身边的人说："拿鸡、狗、马的血来。"

毛遂捧着盛血的铜盘，说："请楚王首先歃血为盟，其次是我的主人，再次就是我。"

就这样，赵国和楚国订立了合纵抗秦的盟约。之后，楚王派春申君带兵前往赵国，以解邯郸之围。不久，魏国的信陵君也盗取兵符，率军前来救援。赵国在楚国和魏国的帮助下击退了秦军，邯郸获救。这是历史上第一次也是唯一一次"战国四公子"中的三位出现在同一个历史事件中。

平原君回到赵国后，感慨地说："以前我鉴别人才，多则几千，少则几百，自认为万无一失，却在毛先生这里失误了。毛先生一到楚国就使赵国重于九鼎，那三寸不烂之舌强似百万大军。我再也不敢妄称能够识别天下的人才了。"之后把毛遂作为上等宾客对待。

## 【知识拓展】

商汤：商朝开国之君，又称武汤，任贤臣伊尹和仲虺（huǐ）为左右相，在鸣条之战中击败夏桀，一举灭夏。由于商汤以武力灭夏，是中国历史上第一次武力改朝换代，因而史称"商汤革命"。商汤在位期间减轻赋税，鼓励生产，安抚民心，使商朝成为一个强大的王朝。

## 名将李牧

  李牧从小就表现出过人的天赋，在打仗游戏中，李牧总是胜利的一方。乡亲们觉得李牧才能过人，等到他弱冠之后，一致推荐他为贤士。李牧一开始并没有得到赵王的重视，最初，赵王将李牧安排在宫廷卫队里，任小队长。就是在这里，李牧展现出了杰出的领导才能，他带领的队伍每次参加比赛总能够取胜。

  几年之后，赵王发现了李牧的军事才能，让他驻守雁门关，抵挡匈奴的袭击。根据当时的实际情况，李牧可以自行任用军官，而本地的税收也都直接送到李牧的军营，当作军饷。李牧改变了朝中设立的官职，他让这些官员管理各自的领地，唯一的要求就是不能让匈奴人抢走任何财物和百姓。

  没有战事的时候，李牧时常宰杀几头牛来犒劳将士，

然后指挥部队进行射箭和骑马的训练。为了防备匈奴的侵袭，李牧命人把守烽火台，并派出侦查人员打探敌情。李牧命令将士谨慎防备，从不与匈奴交战，他下令说："如果有匈奴兵侵犯边境进行掠夺，我军必须收拾人马和牲畜退入堡垒中坚守不出。如果有谁胆敢出击匈奴，一律处斩！"

因此，匈奴兵每次入境侵犯，都不会遇到抵抗，但是因为李牧撤退及时，所以也没有抢掠到什么。这样过了好几年，因为李牧的不交战策略，双方都没有什么损失，匈奴人也因此认为李牧胆小怯战。不但匈奴人这样认为，就连雁门关的军民也觉得自己的将帅胆小怯战，纷纷向赵王投诉。赵王派了一个又一个使臣去斥责李牧，每次李牧都虚心接受意见，但是下次匈奴人进犯，他还是我行我素。赵王恼怒下令，派另一个将军取代了李牧。

李牧被罢免后，没有辩解，而是安心地回家休养了。但是雁门关的百姓却开心不起来了，因为新来的将军非常勇猛，匈奴人一来就马上出兵，可惜每次都大败而归。匈奴兵倒是消灭了几个，但是自己的损失也很大，被掠走了很多财物和百姓。一年下来，雁门关从一个富裕的地方变成一个穷得叮当响的贫困之地。

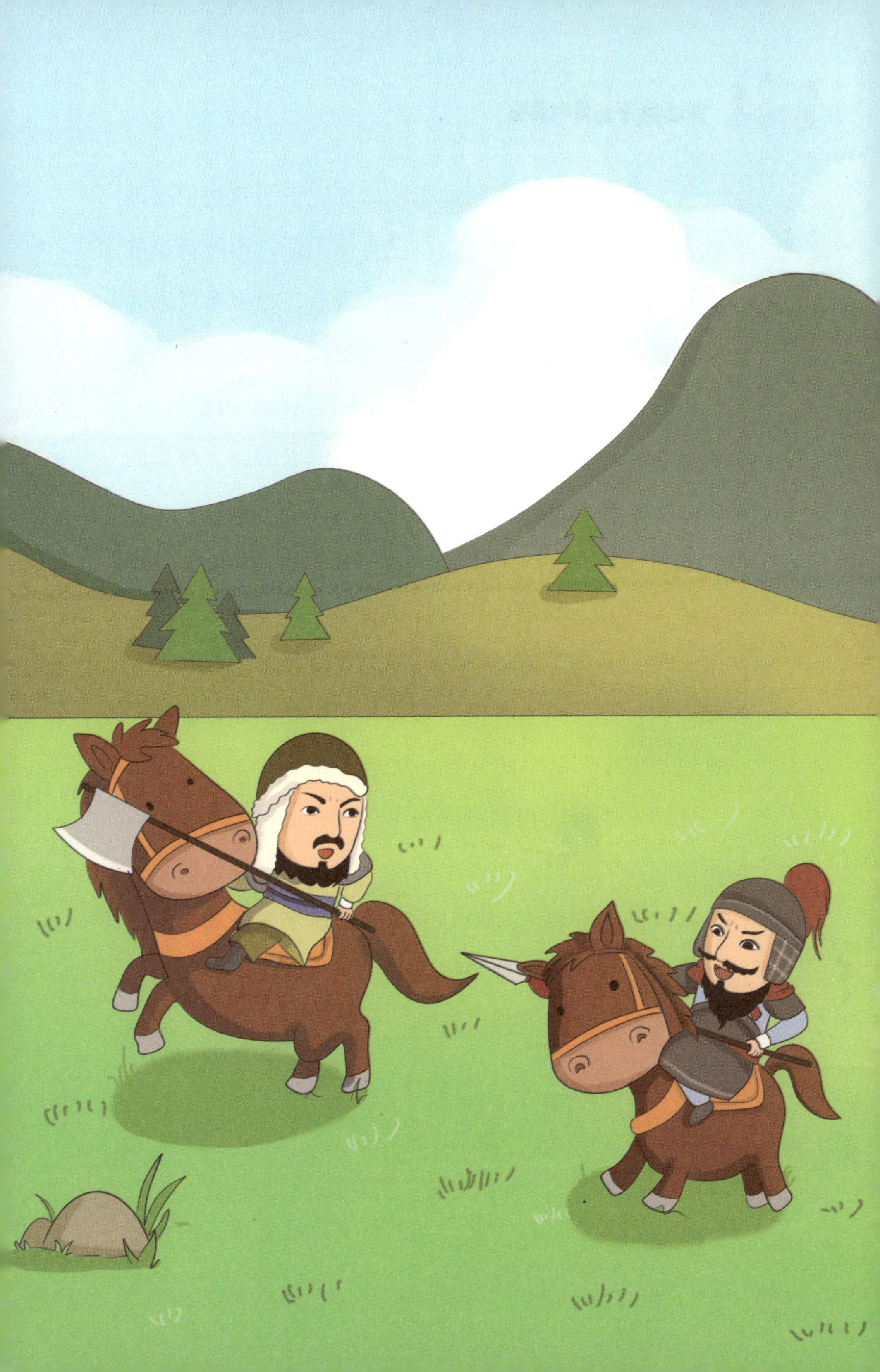

这个时候，赵王又想起李牧，接连下了几道诏书派李牧去雁门关，李牧都推说自己身体不适，不能再出战了。又一次雁门关被大掠的消息传来后，赵王亲自来到李牧家里，请求李牧再次出山。李牧说："大王如果还想任命我为雁门关的太守，我就还按我以前的方法行事，您要是不同意，我是无论如何也不会回去的。"赵王同意了。

匈奴人知道李牧虽然胆小，但是他在雁门关的时候，匈奴从来没有占到过任何便宜，听说李牧回来了，他们就改去侵犯其他地方了。这一年，草原大旱，匈奴精兵倾巢而出，分三路去各国抢掠食物和百姓，但是雁门关在这位"胆小"将军的领导下却无战事。

守边军士每天得到赏赐却不被派去抗击匈奴，所以都希望与匈奴人打一仗。于是，李牧挑选了五万精兵、一千多辆战车和两万匹战马浩浩荡荡地来到了匈奴的腹地。这时匈奴守城的都是些老弱残兵，这些老弱残兵一见赵军入侵，立即通报最近的一支匈奴军队，让他们派十万人马回援。

先回来的是一支骑兵，赵军遇到这支骑兵马上就落荒而逃。匈奴人这才知道原来是赵国的胆小将军来了，他们嬉笑着等待大队人马的到来，准备杀掉这五万

赵军。

匈奴的十万人马赶到了，五万赵军却失去了踪迹。匈奴人正纳闷的时候，一支铁甲战车和铁甲战马组成的队伍从三面包围了他们。匈奴人连忙逃向唯一的缺口，而这个缺口正是李牧精心布置的陷阱，一到这里，他们就被埋伏在这里的赵军一举歼灭了。这一战，李牧多设奇阵，大破匈奴，乘胜灭掉了代地以北的胡族襜褴（chān lán），攻破东胡，使林胡部族归降，匈奴单于领残兵逃奔而去，此后十多年不敢接近赵国边境。

前234年，秦国大将樊於期率军征伐赵国，斩杀赵国大将，斩首十万赵军。次年，樊於期乘胜进攻上党，并绕到赵国后方。赵国形势危急，赵王调回在雁门关的李牧，任命他为大将，指挥赵军抵抗秦军。在李牧的指挥下，赵军大败秦军，赵王因此封李牧为武安君。

【知识拓展】

雁门关：位于山西忻州的雁门山上，以"险"著称，被誉为"中华第一关"，有"天下九塞，雁门为首"之说。它南控中原，北扼漠原，是古代塞外北方民族入侵中原的关口，自战国时期的赵武灵王起，历代都把此地看作战略要地，与宁武关、偏头关合称为"外三关"。

## 春申君当断不断

"**战**国四公子"之一的春申君名叫黄歇,是楚国的大臣,以宽厚爱人、礼贤下士闻名于世。黄歇曾经出使秦国,说服秦昭王从楚国退兵。后来,黄歇又帮助在秦国做人质的楚国太子回国继承王位,即楚考烈王。黄歇因功被任命为楚国令尹,封为春申君。

楚考烈王没有儿子,春申君为此十分担忧。有一个叫李园的人想把自己的妹妹献给楚王,听说楚王不能生育,于是他想出了一条诡计。

李园先是找到楚王最信任的春申君,请求成为他门下的一位食客。不久之后,李园请假回赵国探亲,故意在家拖延了几天才回来。春申君问他超出期限的原因,李园回答说:"因为齐王派使者来我家提亲,想娶我的妹妹。我陪那位使者喝酒,所以才耽误了期限。"春申君心想，李园的妹妹肯定是一个美人，便问："已经下聘礼订婚了吗？"李园回答说没有，于是春申君要求见一见李园的妹妹。李园心里暗暗高兴，计划的第一步完成了。

不久李园带着妹妹来见他，春申君一看，非常喜欢，就把她留在了身边，纳为小妾，不过这件事没有告诉任何人。

过了一段时间，李园的妹妹怀孕了。一天，李园的妹妹对春申君说："楚王对你的恩宠隆盛无比，即使是他的亲兄弟也比不了。只可惜楚王一直没有儿子，万一哪一天楚王去世了，楚王的某一个兄弟则会被拥立成新的国君，您恐怕就不能这样受尊敬了！不但如此，因为您深受楚王宠信，担任令尹二十多年，肯定对楚王的兄弟多有得罪，一旦他们有谁登上王位，您就要大祸临头了。"听了这番话，春申君也担心起来，变得愁眉不展。李园的妹妹马上又说："能得到您的宠爱我是多么幸运啊，现在我怀有身孕，可是并没有别人知道。为了您，我愿意委屈我自己。只要您把我献给楚王，万一我能生下一个儿子，到时候整个楚国就都是您的了！"春申君觉得她说得很有道理，就把她献给了楚王。后来，她果然生了一个儿子，被立为太子，而她自己则成为王后，

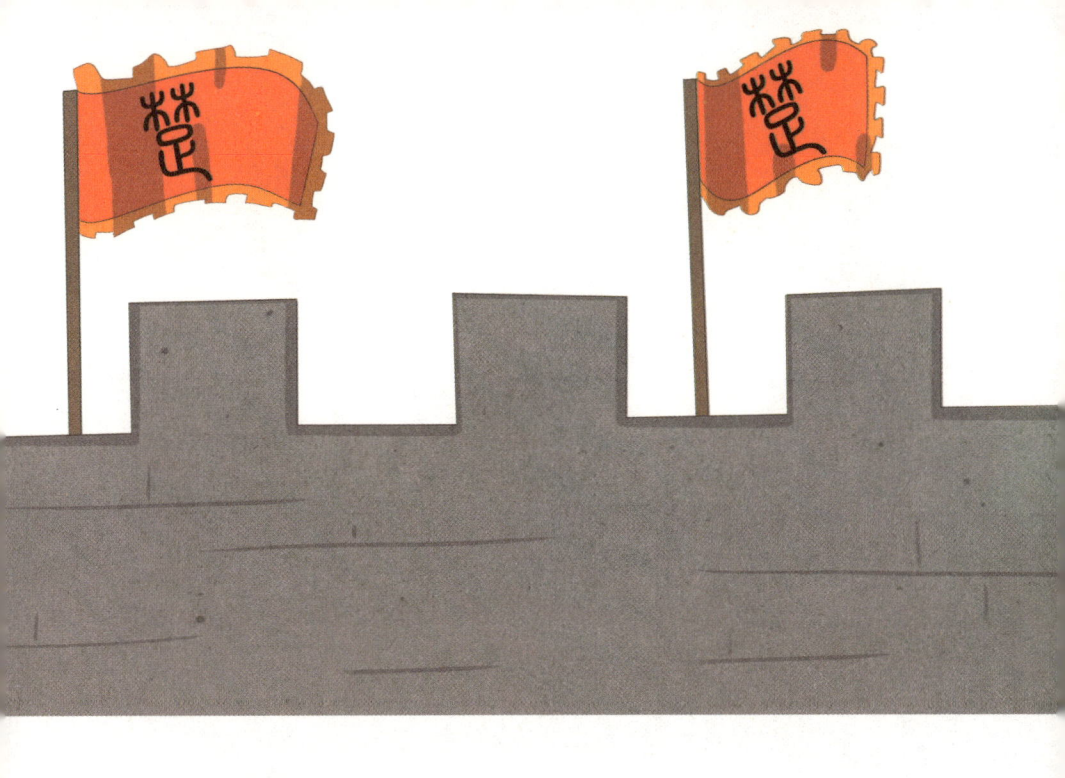

李园也因此受到器重。

但是李园一直很担心春申君会泄露秘密,所以养了很多死士想要杀死他。春申君的一个门客朱英知道了这件事,在楚考烈王病重的时候,朱英对春申君说:"世上有未预料到而来的洪福,也有未预料到而来的灾祸。现在您处于生死变化不定的环境中,为喜怒无常的君王效力,身边怎么能没有您尚未预料却忽然来到的帮手呢?"

春申君说:"什么叫作'未预料到而来的洪福'呢?"朱英答道:"您担任楚国的令尹二十多年了,虽然名义上是令尹,实际上却已经相当于国君了。如今楚王病重,随时都会死去,一旦病故,您就可辅佐幼主,

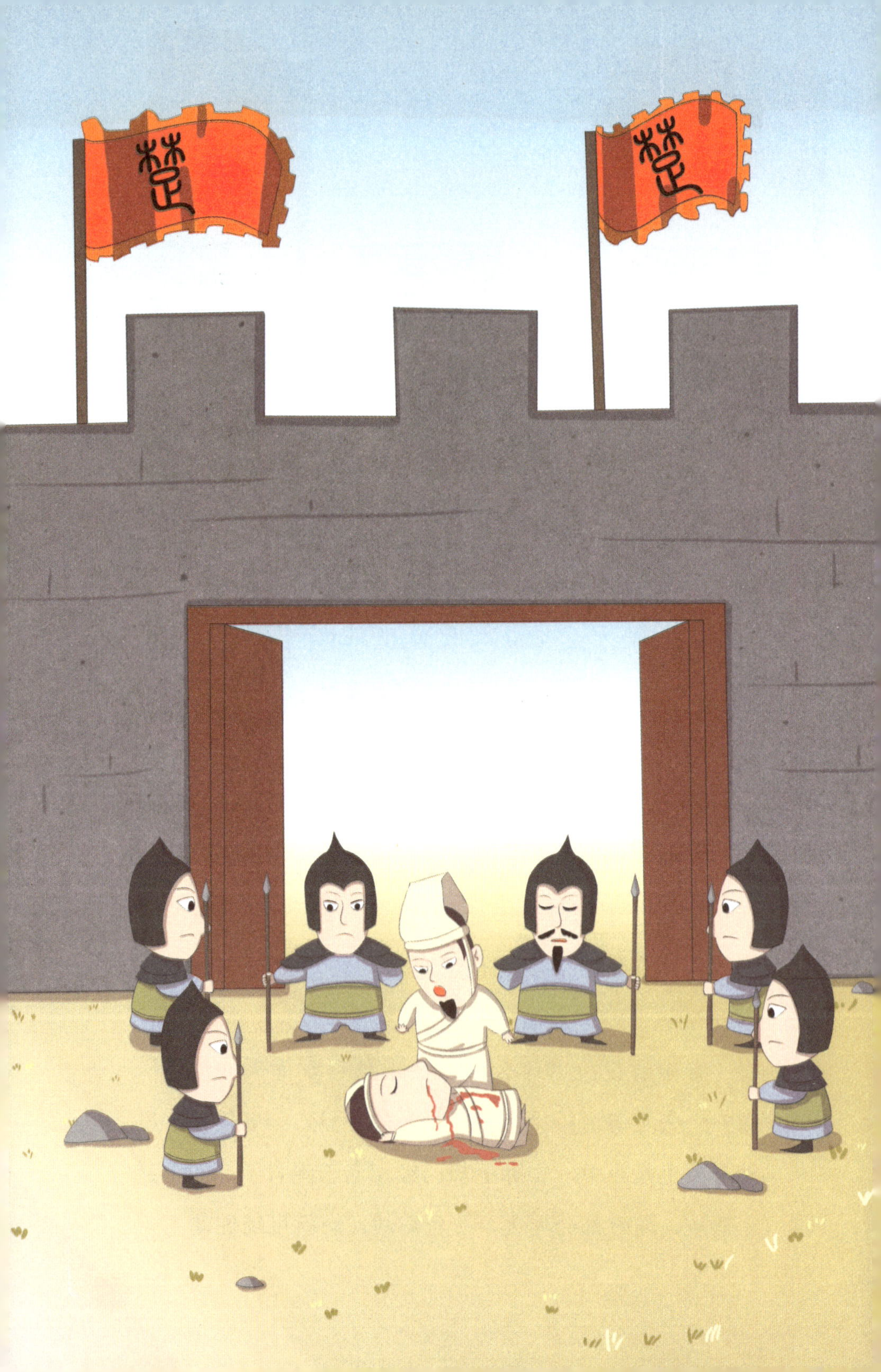

楚
楚

从而掌握国家大权，待幼主成年后再还政给他，或者干脆就面南而坐，自称为王。这便是所谓的'未预料到而来的洪福'了。"

春申君又问："那什么是'未预料到而来的灾祸'呢？"朱英说："李园不治理国事，却是您的仇敌；不管理军务统率军队，却长期豢养一些死士。如此，楚王一去世，李园必定抢先进入宫廷夺权，杀您灭口。这即是所谓的'未预料到而来的灾祸'。"

春申君再问道："这样说来，'尚未预料却忽然来到的帮手'又是怎么回事呢？"朱英回答："您将我安置在郎中的职位上，待楚王去世，李园抢先入宫时，我替您杀了他除掉后患。这就是所谓的'尚未预料却忽然来到的帮手'。"

但春申君此时已完全被李园兄妹蒙蔽，不相信一向谦恭软弱的李园会谋杀自己，说："您就不必过问这些事了，李园是个软弱无能的人，况且我又对他很好，哪至于发展到这个地步呀！"朱英见春申君执迷不悟，担心惹祸上身，第二天就离开了楚国。

楚考烈王病死的那天，李园果然安排了杀手藏在宫里，杀死前来吊丧的春申君。春申君的儿子被立为楚王，这就是楚幽王。

## 【知识拓展】

上海有个别称叫申城，与受封于此的春申君黄歇有关。当初黄浦江由于泥沙淤积，河床过高，一到汛期就洪水泛滥，百姓苦不堪言。黄歇被封于此后，疏通河道，筑起堤坝，河水不再泛滥。百姓于是将这条河改称为春申江，简称申江。后来，申字就成了上海的代称。

## 王翦请田

白起死后，秦王惆怅秦国再无名将时，王翦（jiǎn）出现了。王翦出生在一个武将世家，不过他的祖先中并没有特别出色的将军。年少时，伴随他成长的就是《孙子兵法》以及父辈用木头为他制作的刀枪剑戟等玩具。其中，他最喜欢的是一把二十多斤重的木质大刀，年仅八岁时他已经可以把这把刀在空中抡圆。王翦担任大将后，先破赵国，然后又和儿子王贲接连灭掉了魏国和燕国。

前226年，秦王将目标瞄准了楚国。秦国的将领李信年轻气盛，曾带着几千士兵打败燕军活捉了太子丹。秦王认为李信有胆略，非常看好他，想让他担任大将军，指挥大军征伐楚国。

秦王问李信："我想要攻下楚国，按照你的估计，大概需要多少兵力能够做到？"年轻的李信豪迈地回答说："在我看来，只要二十万大军就能攻取楚国，生擒楚王。"

秦王嘉许他的豪言壮语，然后又以同样的问题询问老将王翦，王翦平静地回答说："要攻下楚国，没有六十万大军不能办到。"

秦王笑着说："看来将军是老了，为什么会这么胆怯呢？李将军真是果断勇敢，他的话是对的。"

于是，秦王派遣李信及蒙恬率领二十万大军南下攻打楚国。王翦因为自己的意见不被采纳，便告病还乡，回到家乡频阳养老。

李信惨败的消息传来，秦王嬴政后悔没有听从王翦的意见。为了表示歉意，秦王亲自乘快车前往频阳。见到王翦后，秦王道歉说："我之前没有采纳将军的计策，误用李信为将，致使秦军蒙受巨大的耻辱。现在楚军一天天向西逼近，将军虽然抱病在身，但是忍心弃我不顾吗？"

王翦说："我现在年老多病，不能再领兵打仗了，希望大王另择良将。"秦王知道这是老将军因为当初的意见没有被采纳而发出的怨言，于是一再用谦卑的言辞请求王翦领兵出战。王翦说："如果大王非要让我担任

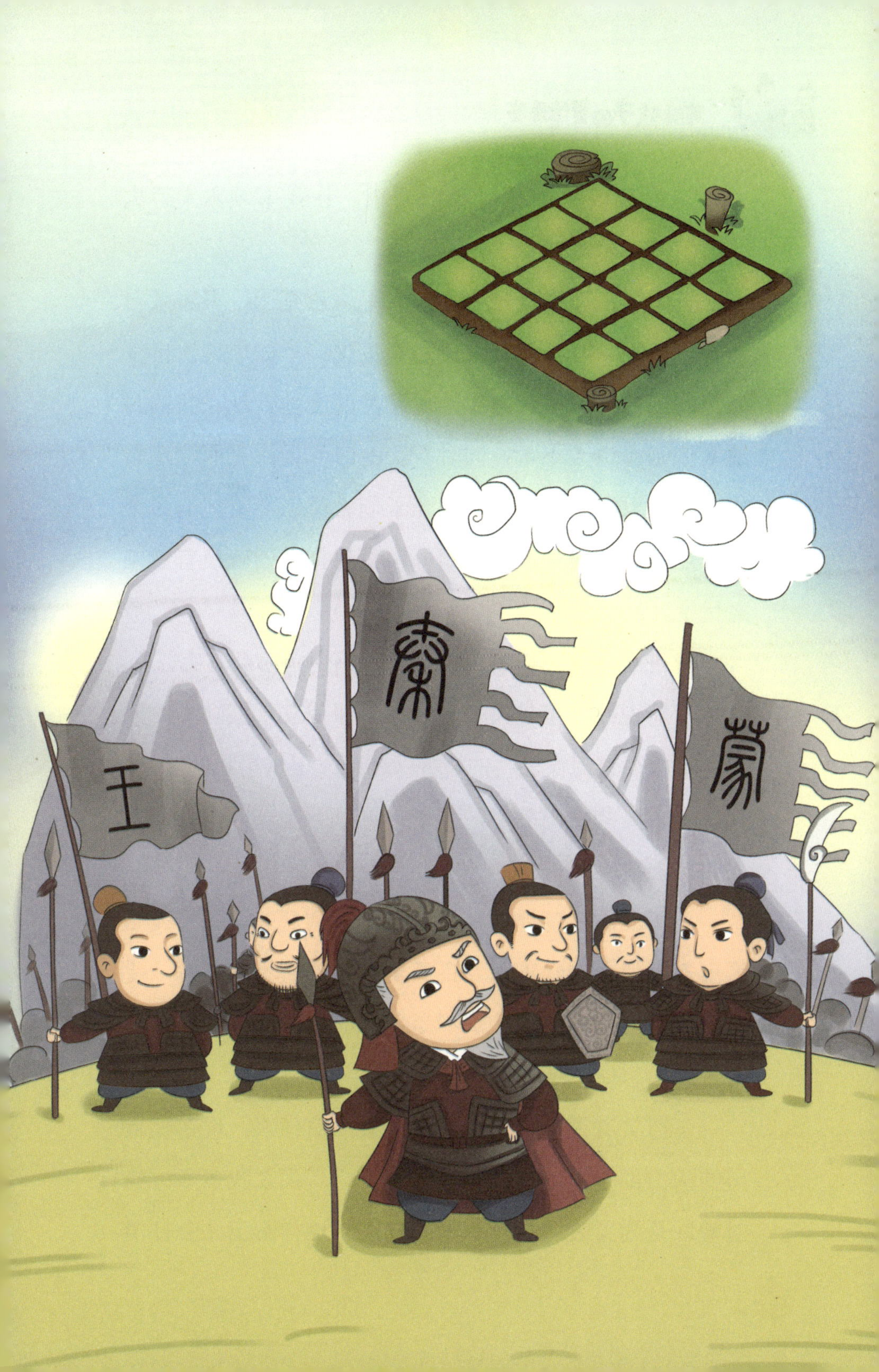
秦
王
蒙

大将，那么就必须按照我的要求，让我率领六十万大军。"秦王允诺。

于是，王翦率领着六十万大军进攻楚国，秦王亲自送行至霸上。临行前，王翦对秦王说："如果这次出征凯旋的话，请大王赐给我一块肥美的土地，现在我的封地太偏僻，也太小了；同时，我的府库捉襟见肘，还希望大王加以充实；还有我的儿子们希望您能给他们封个大一点的官。要是大王都照办，我攻打楚国就没有后顾之忧了。"

秦王回答说："将军出征吧，不用担心会贫穷。"

王翦说："担任大王的将领，即使立了战功，终究也是不会得到封侯之赏的，所以趁着大王重用我的时候，只好多求一些良田美宅，为子孙置办一些产业。"秦王大笑，一口应允。

大军浩浩荡荡地向楚国进发，来到武关，王翦先后派出五批使者向秦王讨要良田美宅。部将不能理解，便对王翦说："将军您从来不是贪婪的人，怎么现在讨要封赏这么急促，是不是太过分了！"

王翦笑着说："大王暴戾而又不信任人，现在把全国的兵力都委托给我，心中定有疑虑。现在我多多讨要封赏，是为了表明我没有别的意图，这样秦王才会打消

疑虑，放心让我领军攻打楚国。"

王翦大败楚军，斩杀楚国大将项燕，楚军溃败。一年之内，俘虏楚王，灭掉了楚国。

前221年，秦国兼并所有的诸侯国，统一了天下。除了韩国之外，其他五个诸侯国均被王翦和王贲父子所灭，王翦因功被封为武成侯。

【知识拓展】

据《史记》记载，项氏世世代代为楚将，其家族被封于项。项燕，战国末年楚国名将，是抗秦将领项梁之父，西楚霸王项羽的祖父。项梁，任楚国武信君，在定陶之战被章邯所杀。三子项伯，任楚国左尹，后降刘邦，赐刘姓。

## 千古一帝

  **秦**王嬴政兼并六国，统一天下，认为自己的德行和功绩超过了三皇五帝，所以改称号为"皇帝"。他为了强化君权，规定皇帝自称为"朕"，皇帝下达的命令称为"制"和"诏"。秦王政做了中国历史上第一个皇帝，自称"始皇帝"，并颁布诏书说："朕为始皇帝，后继者沿用称呼，称为二世皇帝、三世皇帝，以至万世，无尽无穷地传下去。"

  丞相王绾对秦始皇说："原来燕、齐、楚三国的土地距离都城咸阳太过遥远，不如在那里设置王侯，以便镇抚当地百姓，所以请求立诸位皇子为王侯。"秦始皇将王绾的建议下达给诸位大臣商议，廷尉李斯建议说："周文王、周武王分封诸同姓子弟为王侯，但是他们的后代逐渐疏远，以致后来像仇敌一样相互攻击，周天子不能制止。现在仰仗陛下神灵，四海一统，不如将全国划分为郡和县，让各位皇子和有功之臣加以镇抚，这样便于中央进行控制。让天下人一心，才是保障国家安定的策略，分封诸侯是不适宜的。"秦始皇听从李斯的建议，将全国划分为三十六个郡，每郡又设置若干县，郡县的长官由中央直接任命，随时调换。

秦始皇又下令收缴全国民间所藏的兵器，运送到咸阳，熔毁后铸成大钟和钟架，以及十二个铜人，放置在宫廷中；然后统一文字、货币、法制和度量衡，并将各地富豪共十二万户迁徙到咸阳置于监控之下。

设立郡县制、统一文字、改良货币等改革措施加强了中央集权，有利于经济的进一步发展，对中国疆域的初步确立起了重要作用。为了保障国家的长治久安，秦始皇采取了一系列举动，如修建长城、制定严刑峻法，等等。

秦始皇每年征调四十多万民夫修筑长城，在当时男人辛苦劳作尚不能果腹，女人日夜纺织都无法蔽体的情况下，征调如此之多的民力去从事非生产性劳动，造成的结果是放眼尽白骨的惨剧。秦始皇还大兴土木，大肆修建宫殿和皇陵，他用刑使七十二万人为他穿凿骊山建造阿房宫和皇陵。

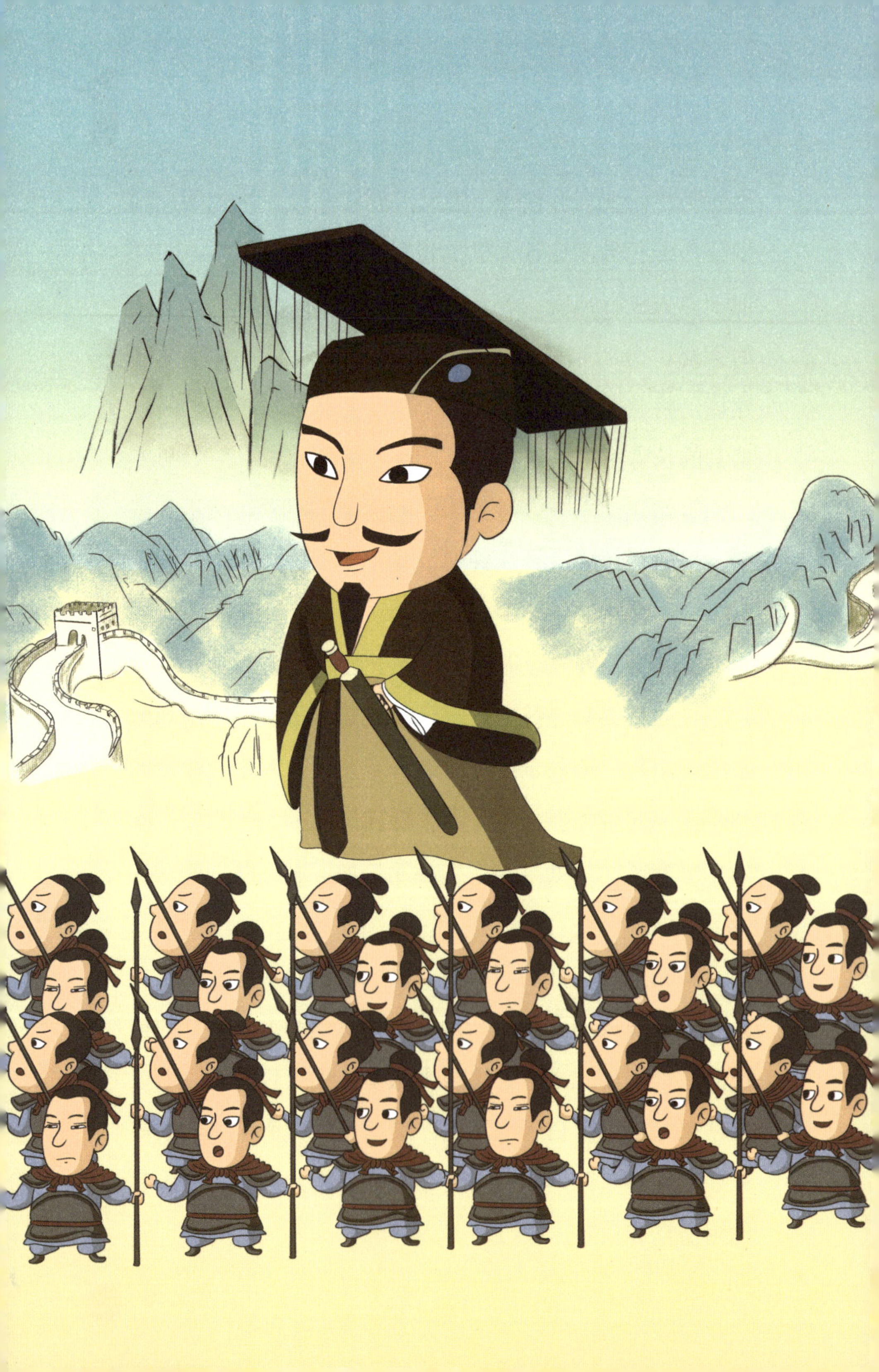

丞相李斯为了迎合秦始皇，上书说："过去诸侯国纷争，用利益招徕天下贤士。现在天下已定，法令统一出自朝廷，百姓就要致力于耕田做工，读书人就要学习法令规章。然而现在的儒生不从事现在的事务，只一味地效法古代，他们厚古薄今，蛊惑民众，总是以为自己比别人高明，对当前的政治形势指指点点。老百姓在他们的鼓动下也跟着起哄，这对国家的统治没有一点好处，只有禁止这些，国家才能安定。除了记载秦国历史的史书，其他史书全部烧毁。另外，凡是私下藏有诸子百家典籍的人，一律将书籍送至官府处置。如果有私下谈论诸子百家的人，一律处死，知情不报的人处以同罪。"秦始皇采纳了他的建议，除了有关秦国历史、医药、占卜和种植的书，其余的书统统被烧毁。

另外，秦始皇还花费大量人力物力寻求长生不老之术。有两个方士侯生和卢生对秦始皇说，他们能找到长生不老的仙药。这样，秦始皇相信了，给了他们许多金银珠宝和船让他们去海外寻找仙药。谁知道，他们两个到处散布流言，说秦始皇的坏话。秦始皇听说后大怒，下令抓捕这两个方士。结果二人逃跑了，而因此议论犯禁的方士四百六十多人却被抓走活埋，后来被抓的则被发配边疆。

秦始皇为了炫耀皇帝至高无上的权威，多次到东方、北方、南方各地巡视。前210年，被称为"千古一帝"的秦始皇病死于第五次东巡途中，年仅五十岁。

### 【知识拓展】

郡县制：指古代中央集权体制下的郡、县两级地方行政制度。起源于周朝，起初是封建制的补充。秦统一后，郡县制遍行于全国，汉继秦制，比秦更为严整，取代分封制成为主要体制。郡县制与西周分封制相比较，最主要的差别在于形成了中央垂直管理地方的形式。

## 沙丘之谋

**前**210年，秦始皇去东南部巡游，丞相李斯和宦官赵高随行，很受秦始皇宠爱的小儿子胡亥吵着要一起去，秦始皇答应让他随行。

回咸阳的路上，秦始皇病倒。因为秦始皇非常忌讳别人谈论"死"，所以群臣中没有人敢提及关于死的事情。后来秦始皇的病情加重，于是他命令中车府令、兼掌符玺事务的赵高写诏书给长子扶苏，说："把军队交给蒙恬将军，赶快到咸阳主持葬礼。"诏书写好后并没有交给使者送出去，而是一直被赵高压在手里。行至沙丘（今河北广宗）之时，秦始皇病逝。丞相李斯担心各位皇子及天下发生变故，于是就秘不发丧，把秦始皇的尸体停放在能调节冷暖的凉车中，由秦始皇生前最宠信的宦官陪乘左右。每天的饮食和奏章处理都和平时一样，但是均由宦官代为处理。为了掩盖尸体的腐臭，他们还专门命人买了很多鱼虾装在车上，这样人们就不能分辨出鱼腥和尸臭了。所以秦始皇驾崩之事，只有胡亥、赵高及受宠幸的宦官五六个人知道。

赵高一出生就被阉割送至宫廷，秦始皇听说赵高有出色的办事能力，而且精通秦国的律法，于是提拔他为中车府令，并让小儿子胡亥跟他学习审理案件。因为赵高善于逢迎，深得胡亥的宠信。这时候，赵高就劝说胡亥，让他密谋伪造诏书，逼扶苏自杀，然后自立为太子，等回到咸阳安葬秦始皇后，就可以继承皇位。胡亥对权力极为贪婪，当即同意了赵高的计策。赵高知道，要想促成此事，必须还要得到另外一个人的帮助，那就是丞相李斯。

赵高找到李斯，说："皇上现在已经驾崩，他赐给扶苏的诏书及符玺都在胡亥那里。立太子一事，只要你我一句话就可以了。这种情况下，我们应该怎么办呢？"

李斯听后，惊慌失措，说："皇上已经立扶苏为太子，听从诏命，是为人臣子的本分，怎么能够大逆不道地议论这种事情呢？"

赵高又说："如果我们什么也不做，那么一定是扶

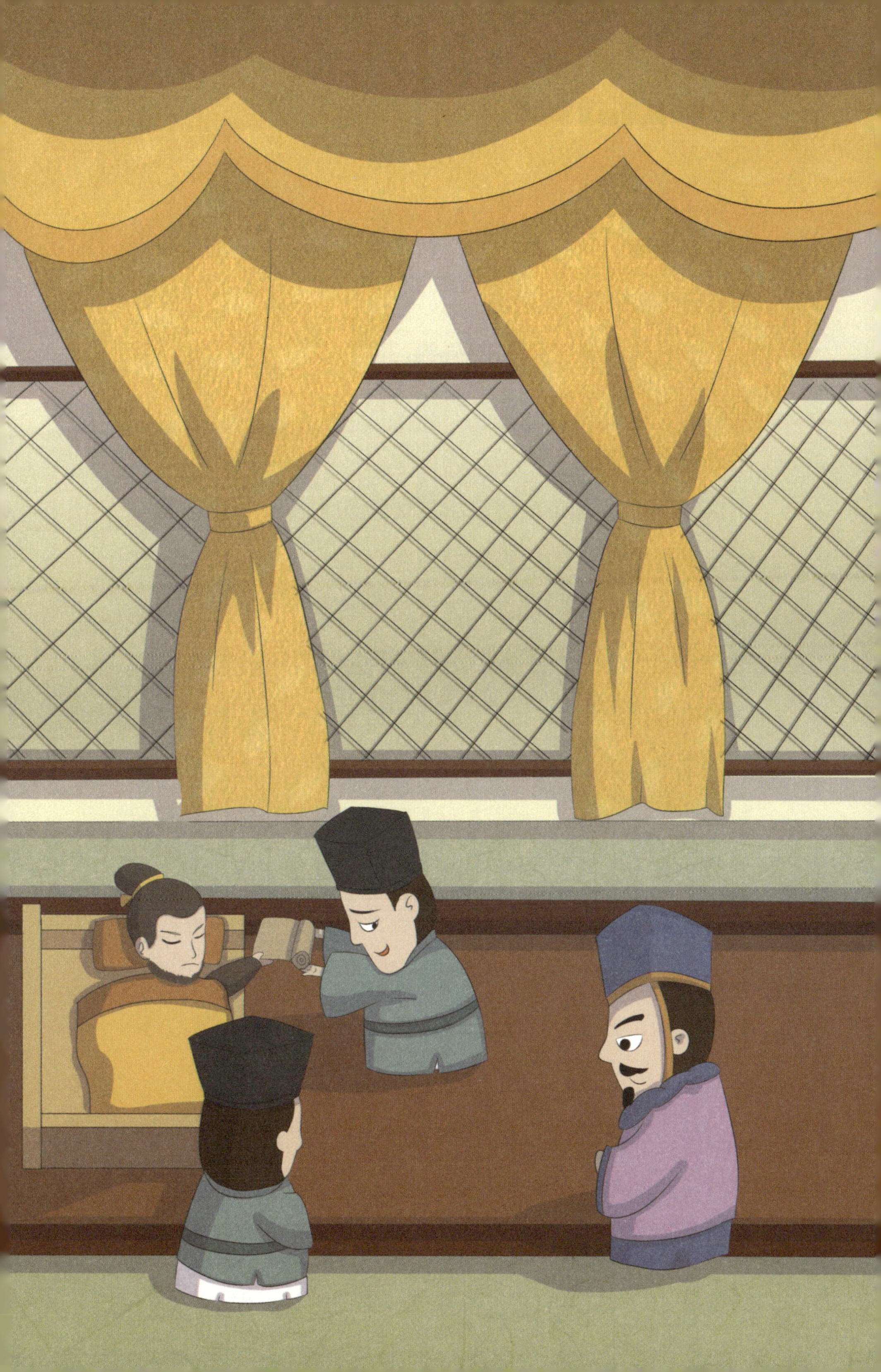

苏即位当皇帝。如果这样，恐怕丞相一职就要改人选了。你不妨想想，论才能、谋略、功劳、人缘以及获得扶苏的信任，你与蒙恬相比如何？"

李斯听了，立即皱起眉头，回答说："这五点，我都比不上蒙恬将军。"

赵高见李斯有所动，继续说："既然如此，一旦长子扶苏即位，就必定会任用蒙恬担任丞相，那么你就不能如愿带着通侯的印绶回到故乡，这是很明显的事。胡亥为人宽仁忠厚，可以立为太子。只要我们帮他当上皇帝，丞相之位还会另有他属吗？希望你慎重地考虑一下，再做出决定。"

李斯认为赵高的话有理，便决定和他一起谋划，伪造秦始皇的遗诏，立胡亥为太子，然后又伪造了一份诏书给扶苏和大将军蒙恬："公子扶苏驻守边疆十几年，不但没有立下任何战功，还多次上书诽谤皇上，对担任监军一事多有怨言，如此不忠不孝之人，赐剑自行了断！将军蒙恬辅佐公子不力，而且参与扶苏的阴谋，一并赐剑自杀！"

扶苏接到伪造的诏书，悲痛欲绝，准备刎颈自杀。蒙恬将军认为事有蹊跷，对扶苏说："陛下在外地巡游，并没有确立太子。他让我率领三十万大军镇守边疆，又

沙丘之谋

让您担任监军，将天下重任交给我们，现在又怎么会突然让我们自杀呢？其中可能有阴谋。不如我们先上书陛下，确认一下事情的真伪。如果是真的，再死也不迟啊！"

扶苏听到蒙恬的话，心里犹豫不决，但是使者一直在旁边催促他们自杀，所以扶苏对蒙恬说："父亲赐儿子死，哪里还需要再请示核查呢？"于是拔剑自杀。蒙恬拒绝自杀，被囚禁起来，最终也没能逃脱赵高的魔爪。

听到扶苏自杀的消息，李斯和赵高松了一口气，于是带着臭烘烘的队伍回到了咸阳。到咸阳之后，他们发布了秦始皇的死讯，根据伪造的诏书，拥太子胡亥继承皇位。

## 【知识拓展】

蒙恬：秦朝名将，祖居齐国，祖父蒙骜和父亲蒙武皆为秦国名将。蒙恬北防匈奴多年，威震北方。蒙恬最初做过掌理司法文书的官吏，曾判处中车府令赵高死刑，但赵高又被赦免，从此与赵高结怨。由于扶苏已死，二世皇帝胡亥想释放蒙恬，赵高不肯，称蒙恬政治上倾向扶苏，于是蒙恬被害。

## 陈胜起义

**前**210年,秦始皇病死。在赵高和李斯的阴谋帮助下,秦始皇的小儿子胡亥即位,是为秦二世。秦二世昏庸残暴,在他的暴戾统治下,老百姓愈加不能承受沉重的徭役赋税和苛刻的刑罚。

秦二世元年七月(前209年),朝廷征发淮河流域去驻守渔阳的九百名贫苦农民,正屯扎在蕲县大泽乡。当时陈胜、吴广都被编入谪戍的队伍,并担任驻守队长。

陈胜少年胸怀大志,早年在阳城为地主耕地,有一天,他干活累了,就招呼大伙休息,他笑着对这些伙计说:"如果有一天我们当中谁发达了,一定不要忘记今天一起干活的老伙计啊!"大家纷纷摆手说:"发达?我们只不过是帮人耕地的,什么时候能轮到我们富贵呢?真是白日做梦啊!"陈胜拍了拍身上的

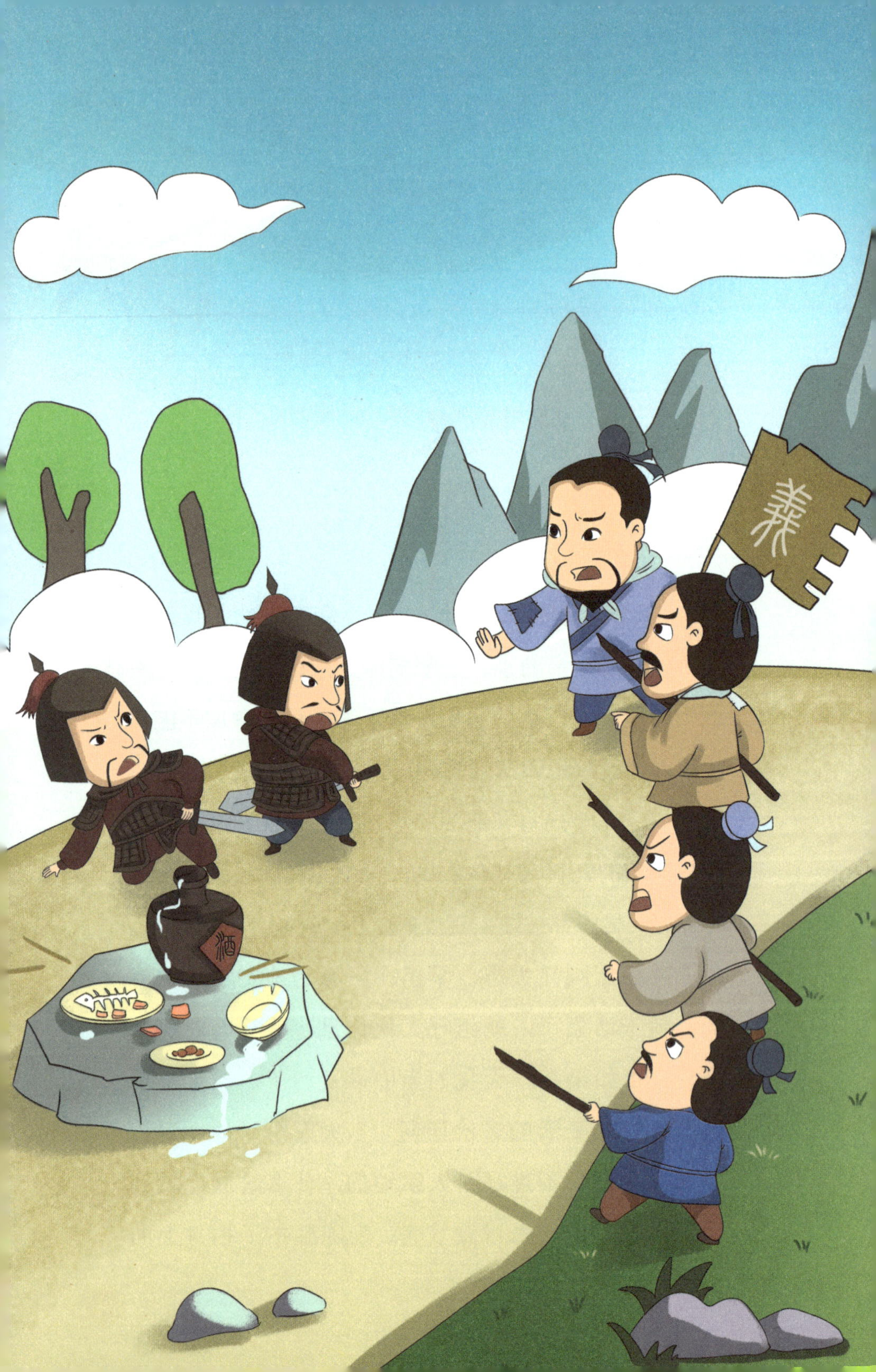
酒

陈胜起义

土,站起来说:"燕雀怎么会了解鸿鹄的志向呢?"

这支被征往渔阳的队伍刚好碰到天下大雨,道路不通,被阻隔在大泽乡,不能如期赶到渔阳戍地。按照当时的法律规定,延误限期是要被杀头的。不想坐以待毙的陈胜、吴广聚在一起商量:逃跑是死,不逃跑也是死,发动起义还是死。毫无生路的他们决定放手一搏。

陈胜先要在这九百人的队伍中建立威信。他和吴广密谋,在帛上用红笔写了"陈胜王"三个字,然后把帛放在别人捕到的鱼的腹中。有士卒将鱼买来烹食,剖开鱼肚,发现写有"陈胜王"的帛,大家都觉得非常奇怪。然后陈胜又令吴广隐伏在驻地旁边的神庙中,等天黑以后用篝火装作鬼火,做狐狸嚎叫的凄厉声音叫道:"大楚兴,陈胜王。"士兵们听到后都很惊慌恐惧。第二天,士兵们到处谈论,互相以眼神示意陈胜。

吴广向来爱护士卒,士卒们也多愿听从吴广的差遣。一天趁押送戍卒的两个军官喝醉了,吴广故意多次说想要逃跑来激怒军官,目的是让军官责辱他,以激起士卒的愤怒情绪。两个军官果然用鞭子抽打吴广,不解气的军官拔剑要杀吴广,吴广跳起来,夺过剑杀死军官。陈胜帮助他,一同杀死了两个军官。这时,陈胜、吴广召集士卒说道:"我们碰到大雨已经耽误了期限,误期就

要被杀头。即使能免于斩刑，但是守边而死的人有十分之六七。壮士不死倒也罢了，死就要干出大事业，王侯将相难道是天生的贵种吗？"士卒情绪达到顶点，加上之前的怪异事情，都说："愿意听从你的号令。"于是一支在舆论上顺天应人的起义军建立起来。

这支起义军以"伐无道，诛暴秦"为口号，迅速崛起，很快就占领大泽乡，攻下蕲县，又势如破竹地攻占了五六座县城。起义军所到之处，贫苦农民纷纷响应，部队发展异常迅速。在攻占陈县时，起义军已拥有步兵数万，骑兵千余，战车六七百辆。

陈胜率领起义军进入陈县后，魏国的贤士张耳、陈馀前往求见。陈胜对他们二人的贤名素有耳闻，立即予以召见。因为有拥立陈胜为王的议论，陈胜就此事询问二人，二人回答说："秦王朝残暴无道，祸害百姓。为了解救身处水深火热的百姓，您才起兵反抗暴秦。如果您现在自立为王，天下人就会认为您起兵反抗暴秦只是为了一己之私，这不是明智的做法。不如派人去扶植六国国君的后裔，为自己培植党羽，共同对付暴秦。秦王朝的敌人多了，兵力就势必分散，而您培植了自己的党羽，兵力势必增大。这样一来，暴秦必定会被铲除，到时候您就可以以盟主身份号令诸侯，完成帝王大业。

您现在只占领了一个陈县就自立为王,势必会成为秦王朝集中精力对付的目标。"但是,陈胜没有听从这一意见,自立为楚王,号称"张楚"。

果然,这支起义军受到秦王朝的重点打击,加上陈胜自身思想的变化,很快就被秦王朝镇压下去。尽管陈胜领导的这支起义军没有夺取政权,陈胜自己也被杀死,但是这支起义军好比星星之火,引燃了全国。后起的项羽和刘邦,在三年之后,率领起义军攻破咸阳,推翻了暴秦。

[知识拓展]

张耳、陈馀:战国时期魏国的名士。秦灭魏以后,悬赏要捉拿两人。两人不得不隐姓埋名,逃到陈地,充当看守城门的小卒维持生活。官吏曾因小事要鞭打陈馀,陈馀发怒,想反抗,张耳踩他的脚,让他忍了。官吏走后,张耳把陈馀带到树下,责备他说:"以前我对你是怎么说的?现在受一点小小的屈辱,就要杀死一个官吏、暴露自己吗?"

## 巨鹿之战

当陈胜在大泽乡起义时，项梁和侄子项羽正在吴中避难。项羽少年时，跟从叔父学习写字识字，没有学成就放弃不学了，然后又学习剑术，同样也是半途而废。项梁非常生气，责备项羽不争气，项羽说："写字识字，只要会写自己的名字就行了。剑术再好也只能敌对一个人，要学就学能够敌对万人的本领。"于是项梁就教项羽兵法。开始，项羽非常高兴，但是在粗略地学习了兵法大意后就不肯再继续学下去。长成之后，项羽身长八尺，力能扛鼎，才能和气度都超过常人。

项梁率领八千江东子弟反抗暴秦，队伍逐渐壮大。陈胜被杀后，项梁召集各部将领商议大计，其中包括刘邦。年逾七十的谋士范增前往劝说项梁："秦国兼并

巨鹿之战

六国，楚国最无辜。楚怀王被骗入秦国，楚人现在还怀念他。所以楚南公说：'楚虽三户，亡秦必楚。'不如拥立楚王的后代为王，这样可以得到民心。"项梁听从建议，找到楚怀王的孙子，立为楚王，同样号称"楚怀王"。

此后，项梁领导的楚军声势更为浩大，先在东阿击败秦将章邯，又在定陶大败秦军，项梁逐渐骄傲自大。宋义规劝说："骄兵必败，现在士兵已经有些懈怠，而秦兵却日益增多，我替您担心啊！"项梁不听，将宋义派去出使齐国。宋义在途中遇到齐国使者，便对他说："我断定项梁必定会失败，你慢点去可以免遭一死，否则就有丧命的危险。"果然，楚军在定陶败于章邯，项梁战死。

项梁死后，章邯认为楚军不再构成威胁，于是北上攻打赵国。邯郸被破，张耳与赵王歇逃入巨鹿城，秦军以重兵围困巨鹿，赵王向楚军求援。这时候，齐国的使者已经到达楚地，对楚怀王说："宋义料定项梁必败，没过几天就应验了。还没有开战就能预料到结果，是懂兵法的人。"于是，楚怀王召来宋义商议，对他非常赏识，任命他为上将军，项羽为次将，范增为末将，领兵去援救赵国。

援军到达安阳后,宋义传令按兵不动,这样一直待了四十六天。项羽忍不住责问宋义:"赵军形势危急,应当火速救援。楚军与赵军内外夹击,秦军必败无疑,为什么要停滞不前呢?"

宋义回答说:"现在救援,还不如先让秦军和赵军相斗。秦军即使战胜赵军,也会疲惫,那时候我们就可以趁机攻击。披坚执锐,冲锋陷阵,我不如你;但是运筹帷幄,制定策略,你不如我。还是再等等吧!"并在军中下令:"有不服从指挥者,一律处斩。"

项羽私下召集将士,说:"我们本来是要合力攻打秦国的,如今却停滞不前。现在遭遇荒年,军中没有存粮,应当迅速赶往赵国,取用赵国的粮食,与赵军合力破秦。秦国强大,新建立的赵国必败无疑,赵国被攻占,只会增强秦军的实力,哪里会有可乘之机。况且我军刚刚吃了败仗,需要胜仗来重振军心。"项羽与众将士谋划好,第二天来到宋义的帐中,斩下宋义的首级,向军中发布号令说:"宋义想要反楚,楚王密令我杀了他!"军中将领都畏惧项羽,没有人敢反抗,一致拥立项羽为代理上将军。

项羽杀了宋义之后,威震楚国,被楚怀王任命为上将军。取得指挥权后,项羽当即派遣英布领兵两万前往

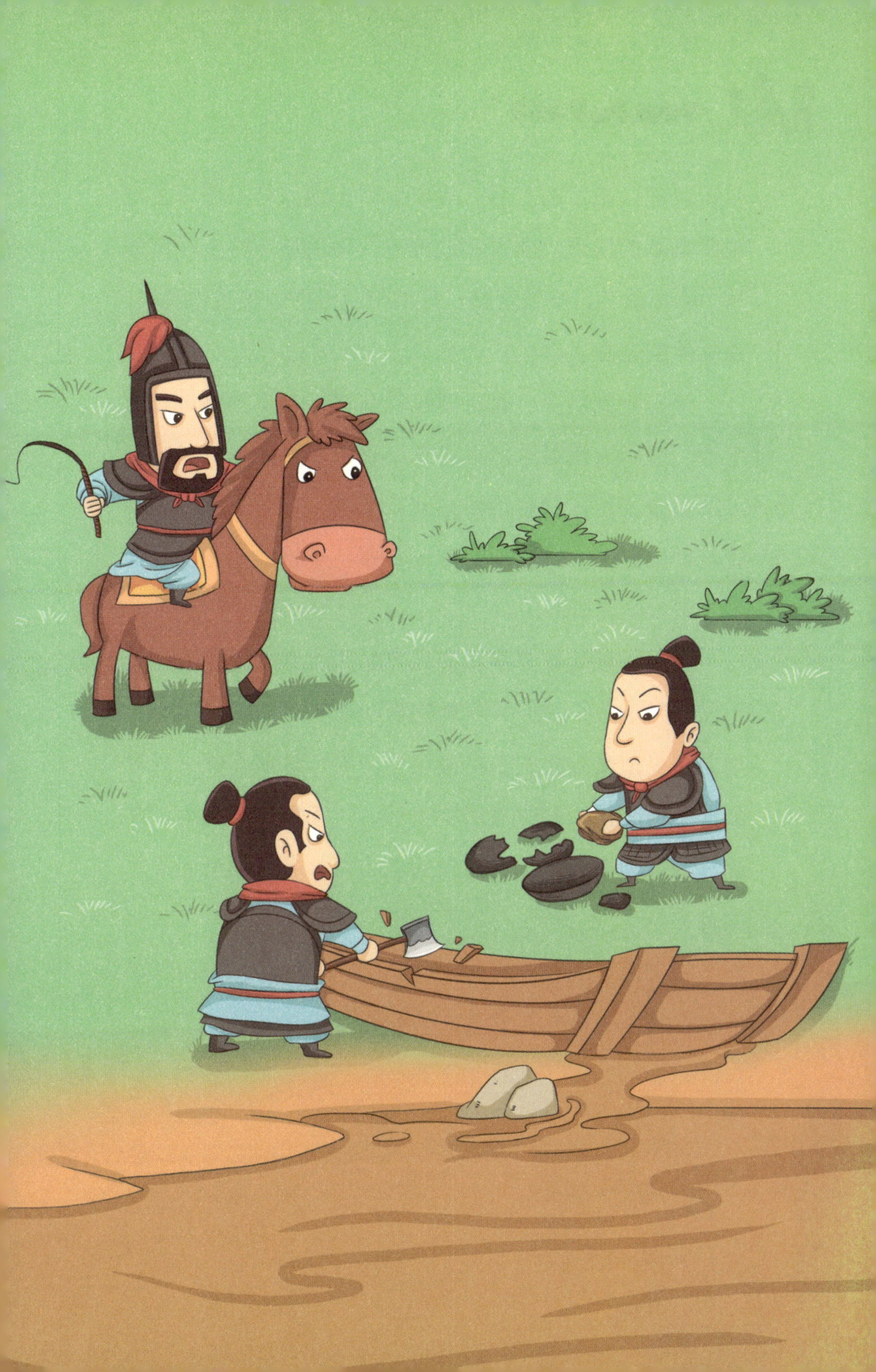

救援巨鹿。楚军加入后，战事立即出现好转。楚军首先截断秦军的粮道，全军渡过黄河。项羽命令将士凿沉船只，砸坏炊具，烧毁营帐，只携带三天的口粮攻击秦军，以示死战之心。

楚军一到巨鹿，就迅速包围秦军，与秦军经过九次交锋，终于大败秦军，秦将章邯被迫领兵撤退。其实在项羽到来之前，就有诸侯军前来救援，但是大家一直观望，不敢出战。等到项羽击败秦军，章邯败走之后，他们才敢出来追击秦军。

项羽率领楚军与秦军交战，楚军士兵凶悍善战，无不以一当十，各诸侯军将领看得心惊胆战。击败秦军后，项羽召见前来救援的各路诸侯军将领。这些将领进入项羽营帐的时候，都跪着用膝盖前行，不敢仰视项羽。从此以后，项羽成为各路诸侯的上将军，各路反秦起义军的首领。

项羽破釜沉舟，斩杀二十万秦军，使秦军遭受重创，而章邯率领的另外二十万大军不久也被迫向项羽投降。

## 【知识拓展】

范增：项羽的主要谋士，被项羽尊为"亚父"，曾多次劝说项羽及早除掉刘邦，均未被采纳。后来，陈平用计离间项羽和范增的关系，范增因此被项羽猜忌，告老辞官，归乡途中病发而死。

英布：因为年轻时受过黥刑（即脸上被刺字，然后用墨炭涂黑），所以又被称作黥布。最初跟随项羽，是项羽最为依仗的大将，被封为九江王。后来叛楚归汉，与韩信、彭越并称"汉初三大名将"，最后因被告谋反而被杀。

## 指鹿为马

**赵**高因为善于逢迎，深得胡亥的宠信，在用阴谋帮助胡亥夺得皇位后，更是专权蛮横，向许多得罪过他的人进行报复。赵高为了防止他们在秦二世面前揭发自己，想出一条毒计。他对秦二世说："为什么天子是天下最尊贵的人呢？这是因为大臣们只能听见他的命令，却看不到他的面容。陛下您现在还很年轻，很多事情处理起来没有什么经验，万一出了什么差错，就会把自己的短处暴露给大臣们。那样就不能向天下人显示您的明智了，而您的威信也会大大降低啊！所以陛下不如就深居禁宫之中，等着大臣们把公务写成奏章呈上来，您跟近臣商量之后再颁布命令，这样就万无一失了。"秦二世很高兴地接受了赵高的建议，从此不在朝堂上接见大臣，一直待在宫里面，结果宫外所有

的事务都被赵高掌控了。

丞相李斯对此大为不满,赵高知道后,就设计陷害李斯,结果李斯蒙冤受罪,被处以腰斩。李斯死后,秦二世任命赵高担任丞相,于是赵高大权独揽,朝中事务不分巨细全部由赵高一人决断。

赵高独自操纵秦朝大权,担心朝中大臣心有不服,于是想通过一件事来试探他们。一天,赵高趁着大臣们向胡亥朝贺的时候,牵来一头鹿,他指着这头鹿说:"这匹马是我进献给陛下您的。"胡亥笑着对赵高说:"丞相是在开玩笑吗?这明明是一头鹿啊,怎么能说是一匹马呢?"赵高坚持说这是一匹马,还让大臣们来断定。那些正直的大臣都说这是一头鹿,而平时害

怕赵高的人都附和说这是一匹马，有的则默然不语。其实这是赵高的阴谋，他是在为自己称帝做准备，他想看清楚到底哪些人是不分青红皂白听他的话的，哪些是不听话需要对付的。那些说是鹿的大臣，后来都被赵高陷害致死。此后朝中大臣对赵高畏惧不已，再也没有人敢谈论他。

经过此事，胡亥便搬到上林苑居住。到了上林苑，秦二世整天只知道四处打猎游玩。有一天，一个无辜的行人误闯上林苑，秦二世亲手把他射死了。赵高趁机对秦二世说："即使您贵为天子，无缘无故杀死没有罪的人，上天也是不允许的。恐怕上天会降下祸患，您还是快到远离皇宫的地方去消灾祈福吧。"秦二世一听，急忙打点行装离开了皇宫，到望夷宫居住。

赵高加紧谋划篡位之事，他与女婿阎乐商议废掉秦二世，改立秦二世的侄子子婴为皇帝。他们里应外合，将秦二世身边的卫士全部杀死，只留下一个贴身宦官。等到阎乐找到秦二世的时候，秦二世对身边唯一的宦官说："你为什么不早告诉我，以至于事情发展到这个地步？"宦官说："我不敢说，所以才保住了性命，否则哪能活到今天？"秦二世于是向阎乐请求见丞相，知道不能如愿，说："我希望当一个郡王。"没有得到准许。

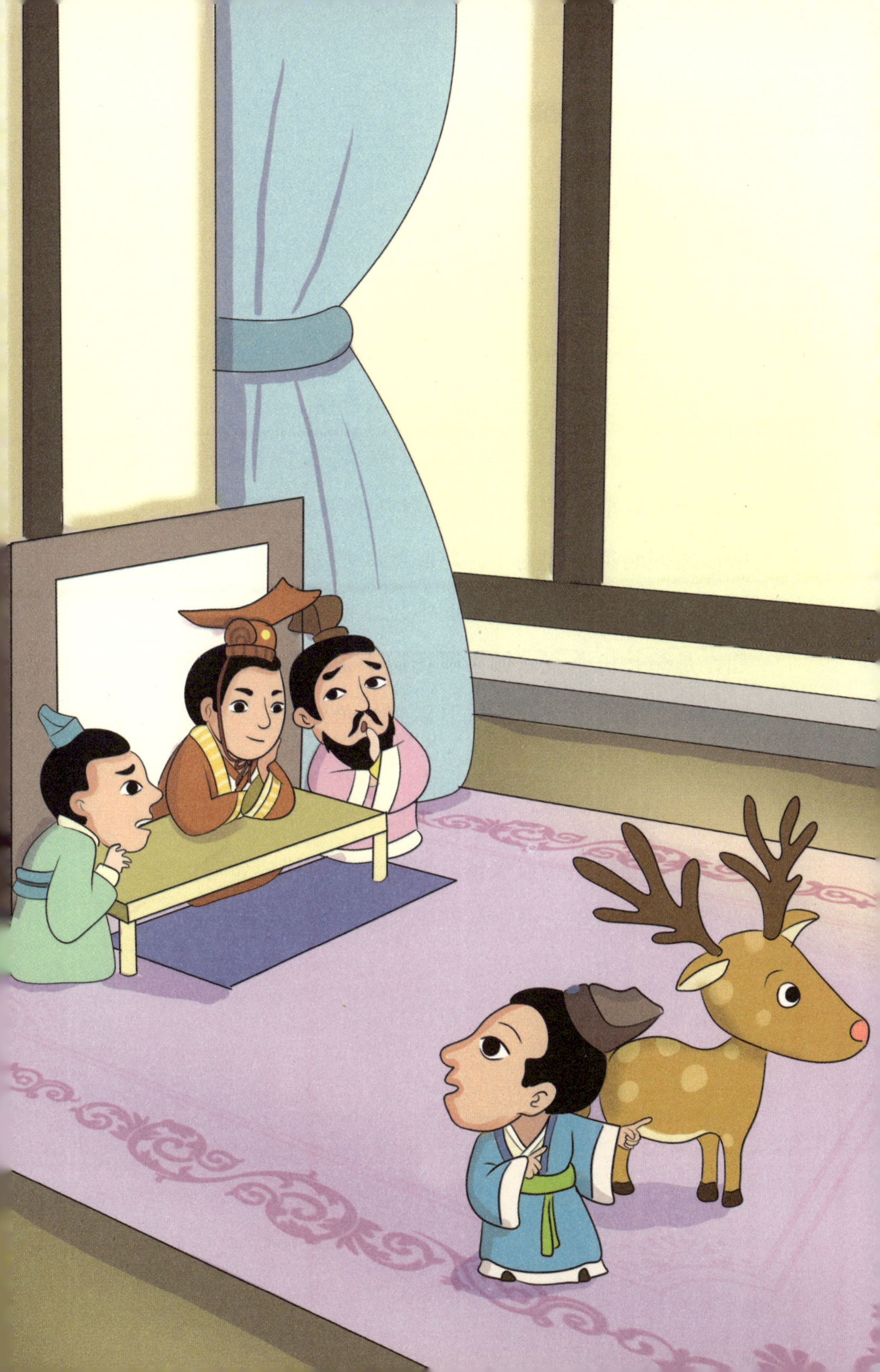

秦二世又说:"那么我希望做一个万户侯。"同样没有得到准许。秦二世又说:"那么我就带着自己的妻子儿女去做平民百姓吧。"依然没有得到准许。秦二世死后,赵高当即立子婴为秦王,使他成为自己手中的傀儡。

赵高让子婴斋戒,到宗庙参拜祖先,接受国君的印玺。斋戒五天后,子婴与他的两个儿子商量说:"赵高在望夷宫杀死了二世皇帝,因为担心遭到群臣的报复,所以才假装拥立我为王。赵高曾和楚军约定,杀尽秦朝宗室后,就可得到关中王的地位。他现在让我去参拜宗庙,是想趁机杀我。如果我托病不去,赵高必定亲自前来请我。到时候,我们就可以将他杀掉了。"于是预先布置好死士。

赵高先后派了好几批人来请子婴,子婴都托病不肯前往,赵高果然亲自来请。等到赵高放松戒备时,子婴令预先设伏的死士将赵高刺死,诛杀赵高三族。

指鹿为马

**【知识拓展】**

赵高指鹿为马的，不是鹿也不是马，而是一种既像鹿又像马的动物，名为"鹿蜀"，这种动物在《山海经·南山经》中有详细的记载："有兽焉，其状如马而白首，其文如虎而赤尾，其音如谣，其名曰鹿蜀，佩之宜子孙。"意思是说，它拥有着马一样的外形，白色的头部，它皮毛的纹饰像老虎，尾巴是红色的。相传身披它的皮毛，可以使子孙后代繁荣昌盛。

## 萧何月下追韩信

  **韩**信原本只是一个普通的老百姓，家里很穷，他自己也没有手艺去赚钱，无奈之下只好到别人家混吃混喝。时间长了，家乡的人都很看不起他。

  一次一个屠户想当众羞辱他，就挑衅地说："你虽然个子高大，还喜欢佩带刀剑，但你就是一个胆小鬼！你如果不怕死就拿剑来刺我！要是怕死，你就从我的裤裆下爬过去！怎么样？要不要来比试一下？胆小鬼！"说完，那个人就岔开两腿，双臂抱在胸前，傲慢地笑着。

  韩信没有说话，嘴唇有些颤抖，睁大眼睛瞪了那个人很久，手也握紧了自己的佩剑。周围看热闹的人也都起哄："冲啊！跟他拼命！"不料，韩信握剑的手慢慢松开，慢慢地俯身，从那个屠户的胯下爬了过去。从那以后，人们更看不起韩信。

萧何月下追韩信

　　不过，还是有善良的人帮助他。有一次，韩信在河边钓鱼，有位洗衣服的老大娘看见他饿得脸色发白，就拿出自己的饭给他吃，一连几十天都是这样。韩信非常感激，对老大娘说："将来我发达了，一定会重重报答您的！"老大娘却说："你一个堂堂男子汉，连自己都养不活，还说这样的大话！我是看你可怜，并不是为了你的报答！"韩信听后，非常惭愧。

　　项梁的起义军渡过淮河北上之时，韩信前去投靠，被项梁接纳。但是他没有得到重用，一直默默无闻。项梁战死后，韩信又跟从项羽，被任命为郎中。韩信多次向项羽献策，请求重用，但是同样没有结果。他深感前途无望，于是逃到刘邦帐下。

　　在刘邦的帐下，韩信最初也只是担任一个小官吏，就决定和其他士卒一同逃走。丞相萧何曾经与韩信有过几次交谈，对韩信非常赞赏，此时听说韩信逃离，便亲自快马加鞭连夜去追回他。有人报告刘邦说萧何已经逃跑，刘邦听后大惊失色，因为萧何一直被他视为左膀右臂。

　　几天之后，萧何回来拜见刘邦。刘邦又怒又喜，责备萧何先前为什么要逃跑，萧何便将事情的缘由告诉刘邦。刘邦听后，说："那么多将领逃跑，你都没有

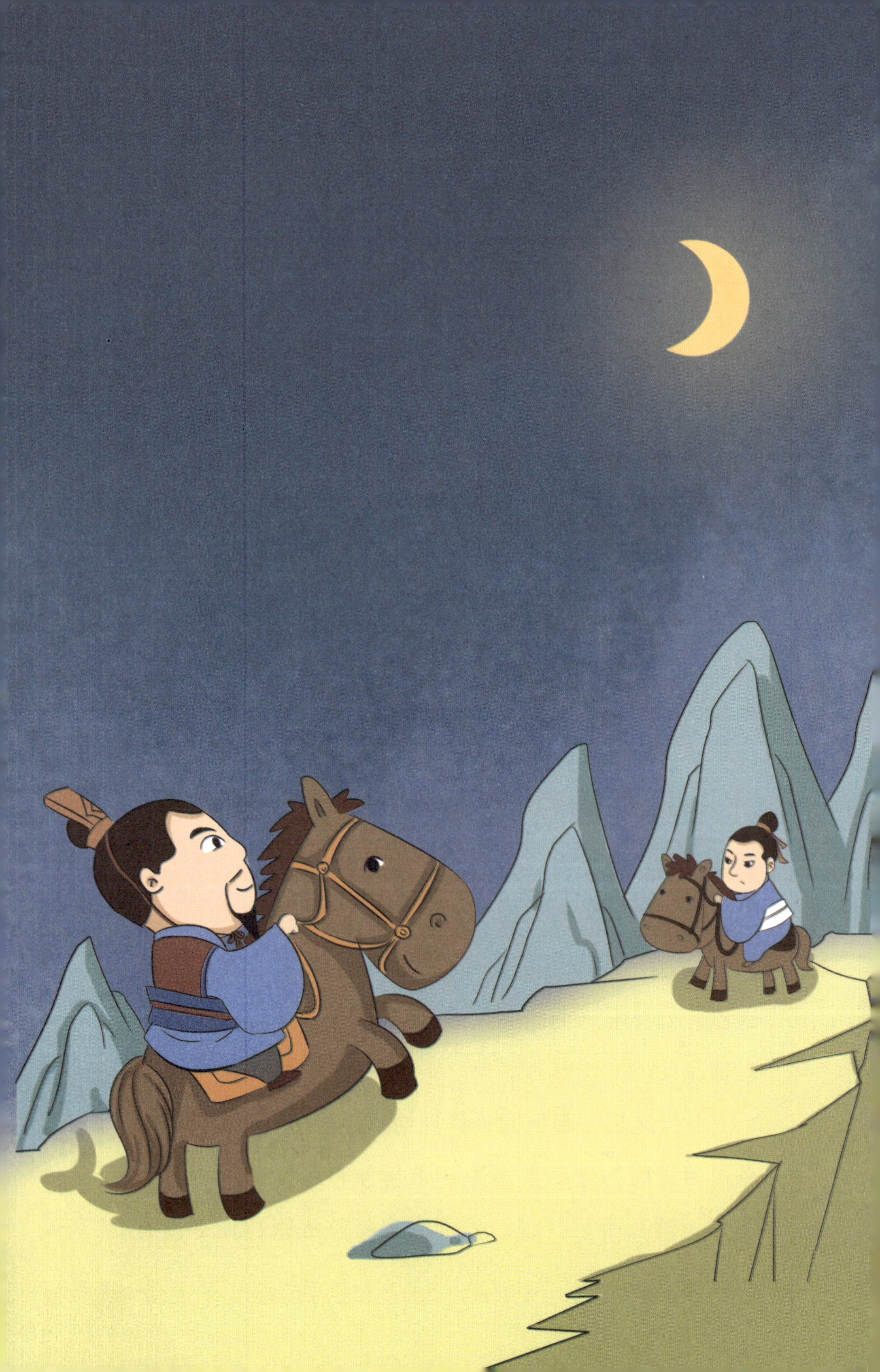

萧何月下追韩信

去追赶,为什么会亲自去追赶一个籍籍无名的韩信。"萧何回答说:"那些逃跑的将领哪里都能找得到,可是像韩信这样的人才,普天之下恐怕也难找出第二个来。如果大王您只安分地在一方称王,那么您也许用不上韩信;如果您要争夺天下,韩信这种人才是必不可少的。"刘邦素来敬重萧何,听他如此推崇韩信,立刻对韩信产生了兴趣,说:"看在你的面子上我就让他做将军吧。"

萧何说:"如果您要用韩信,就必须重用,否则他终究还是要离开的。"

"那么就让他做大将军吧。"

"如此再好不过了。"议定之后,刘邦想立即召见韩信,授予他大将军一职。萧何认为这样太过草率,如果要留住韩信,就应当表现出诚意和敬意。刘邦接受萧何的意见,设置拜将台,选择良辰吉日,并举行隆重的拜将仪式。

到了拜将那天,诸位将领都欣喜不已,都认为自己能够得到大将军的职务。但是到正式任命大将军的时候,竟然是籍籍无名的韩信当上了全军的统帅,所有人都惊讶不已。拜将仪式结束后,刘邦对韩信说:"丞相多次向我称赞并举荐你,你有什么好的计策呢?"韩信随即给刘邦分析了天下的形势，说："大王您在争夺天下时，遇到的对手只能是项羽。我认为，您在很多方面都不如项羽，但是有两点可以帮助您战胜他，那就是注重人才和收服民心。项羽把秦朝降将章邯、司马欣、董翳三人封为王，用来监视您。当年项羽坑杀秦军降卒二十多万，只有这三人幸免，所以秦地百姓对他们恨之入骨。而您当初进入关中时，秋毫无犯，与百姓约法三章，深得民心。如果您起兵向东，三秦之地只要您一声号令就能平定。"刘邦听后大喜，就采纳了韩信的建议。

　　刘邦听从韩信的计策，明修栈道，暗度陈仓，先烧毁出关的栈道，表示没有东进之心，然后又派遣樊哙率军一万大张旗鼓地抢修栈道，吸引秦地三王的注意。刘邦则亲率大军潜出故道，翻越秦岭，直接袭击陈仓。章邯仓促回援，被汉军击败。在韩信的谋划下，刘邦迅速平定三秦之地，成功迈出了争夺天下的第一步。

萧何月下追韩信

【知识拓展】

萧何：曾担任秦国沛县的狱吏，后辅佐刘邦起义。刘邦称王后，一直担任相国。在楚汉相争中，萧何留守关中，巩固汉军后方，并为前方不断提供士兵和粮饷，在刘邦统一天下的过程中起到重要作用，是"汉初三杰"之一。

## 楚汉相争

项羽率领各路诸侯军攻占咸阳之后，杀了已经投降的秦王子婴，又一把火烧了秦国的宫殿，包括尚未建成的阿房宫，熊熊的大火烧了三个月都没有熄灭。随即对咸阳屠城，洗劫了城中金银财宝。

灭掉秦朝之后，项羽以盟主的身份，划分天下的土地，对各路诸侯以及部将进行封赏。项羽自立为西楚霸王，管辖原来楚国和魏国的土地，定都彭城。项羽和范增都怀疑刘邦有争夺天下的野心，便将他封在偏远的巴蜀之地，称为汉王。这片土地道路艰险，是秦朝流放犯人的地方，但这片土地也属于关中，所以项羽的这个做法并没有违背当初的约定：谁先进入函谷关，平定关中，就可以在关中称王。刘邦接受封地时，大为震怒，想要攻打项羽，在萧何的劝阻下才忍辱去了封地。另外，项

羽还小心地防备着刘邦，将关中分割成三个部分，以秦朝降将章邯、司马欣、董翳为王，用以监视和牵制刘邦。

前206年，刘邦拜韩信为大将军，听从韩信"明修栈道，暗度陈仓"的计策，一举平定三秦地区。项羽得知刘邦的行动后，派大军阻止刘邦东进，张良便写信给项羽说："如果按照约定，将汉王应得的封职还给汉王，汉王也一定会兑现承诺，停止与楚军作战。"而此时，其他诸侯也因为获得的封赏不公平，纷纷起来反抗项羽。齐国的田荣和梁地的彭越联合赵国，同时起兵攻打楚国。所以项羽无暇顾及刘邦，挥军北上攻打齐国。

项羽率领楚军进入齐地后，迅速击败齐王田荣。在齐地，楚军延续了其残暴的作风，放火烧了齐国的城市，强抢齐国人的子女，齐国的百姓纷纷聚集起来反抗项羽。田荣的弟弟田横聚集这些残兵败将，得数万人，重新与楚军作战。项羽只能继续留在齐地作战，但几次交战都没能击败齐军。

此时，刘邦趁项羽率军攻打齐国，楚国出现空虚的机会，率军东进，攻打楚国都城彭城。项羽已经听说刘邦率军东进，但是他人已经在齐国作战，于是就想在平定齐国之后再去攻打刘邦。刘邦一路上召集诸侯，得到军队共五十六万人，一同讨伐楚国。很快，刘邦就率领

着诸侯联军攻占了空虚的彭城。

项羽得知自己的后方被刘邦攻占，怒不可遏，当即命令手下将领率领一部分军队继续攻打齐国，自己则亲率三万精兵南下攻打汉军。楚军到达彭城附近，安营扎寨，在一个清晨向汉军发起攻击。楚军将士个个骁勇善战，以一当十，只用了半天时间，就将五十六万汉军击溃，死伤无数。汉军不敌，仓皇逃走，楚军则紧随其后，十多万汉军全部被赶入睢水，以致把河水都堵住了。

刘邦陷入楚军的包围之中，形势非常危急，然而就在此时，恰好刮起大风，风势非常大，飞沙走石。楚军被吹得阵脚大乱，刘邦才得以逃出。

刘邦召集了一大批残兵败将，准备与项羽决一死战，可是那些曾经和他联盟的诸侯现在又投降了项羽，刘邦只好跟项羽求和，希望只保留一小部分土地给自己。但是范增坚决反对，他说："这次再不消灭刘邦，以后就真的没机会了。"

听说项羽不同意求和是因为范增，刘邦便使用反间计逼走了范增。楚汉角逐由此展开。

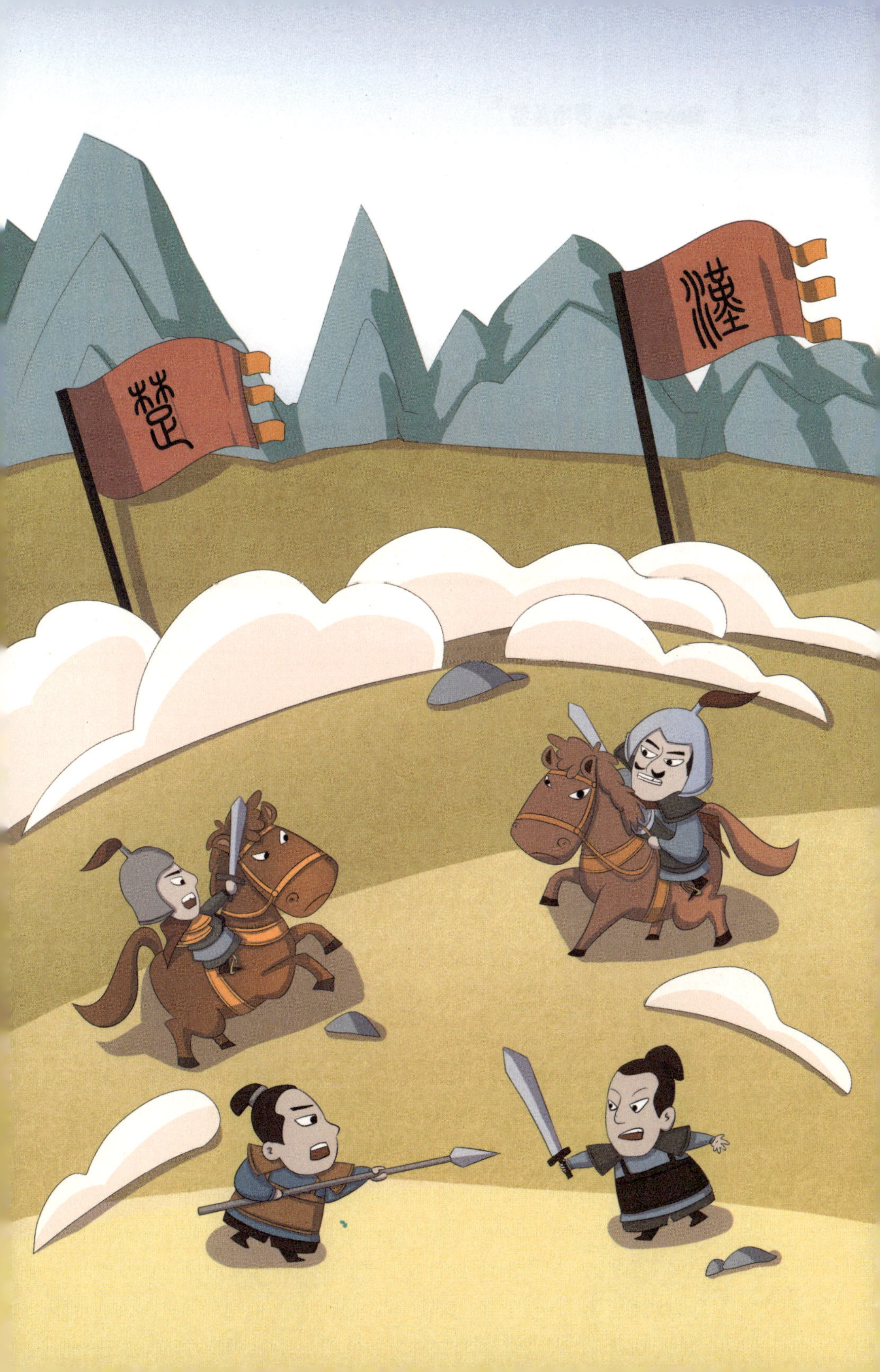
楚
漢

## 【知识拓展】

彭越：强盗出身，帮助刘邦征战天下，功勋卓著，被封为梁王，因被告谋反遭到诛杀。

田横：原为齐国贵族，起义爆发后，与兄田儋、田荣加入起义军，兄弟三人相继占据齐地为王。刘邦统一天下后，田横不肯称臣，率五百门客逃往海岛。刘邦多次派人招抚，田横被迫前往汉廷，在途中自杀。五百门客得到田横死讯后，也全部自杀。

## 背水一战

**韩**信被拜为大将军后,向刘邦提出策略,自请一支军队开辟北方战场,使汉军对楚军形成包围之势。刘邦采纳了这一策略,派给韩信三万人马,令其北上开辟势力范围。

韩信首先进攻魏国,魏王豹部署重兵对抗韩信。韩信巧用疑兵之计,只一个月就俘获魏王豹,平定了整个魏国。之后,韩信向刘邦请求增援,向北进攻赵国和代国。刘邦准许他的请求,并派张耳前往军中担任辅将。很快,韩信就攻破代国,并俘获代国的相国夏说。在击破魏国和代国后,刘邦就将韩信的精锐部队调去抵抗楚军。

韩信和张耳率领着剩下的几万人马,取道井陉,攻击赵国。赵王歇和成安君陈馀听说汉军来袭,在井陉口聚集兵力，严阵以待，号称二十万大军。广武君李左车向陈馀献计说："如今韩信渡过西河，俘虏魏王豹，生擒夏说，近来又在阏与鏖战。现在又以张耳作为辅将，计议攻下赵国，这是乘胜远征，其锋芒锐不可当。眼下井陉这条道路，两辆战车不能并行，骑兵不能排成行列，汉军行进的队伍绵延数百里，运粮食的队伍势必远远地落到后边。希望您拨给我三万人马，我率领这支人马从隐蔽的小路拦截他们的辎重；而您则深挖战壕，高筑营垒，坚壁清野，不与之交战。这种情势下，汉军向前不得战斗，向后无法退还。此时我出奇兵截断他们的后路，使他们在荒野什么东西也抢掠不到，用不了十天，韩信和张耳的人头就可送到将军帐下。否则，我们必定被俘虏。"

陈馀却认为："我听说兵书上讲，兵力十倍于敌人，就可以包围它，超过敌人一倍就可以交战。现在韩信的军队号称数万，实际上不过数千。他们竟然跋涉千里来袭击我们，想必已经到了极限。若如你所说，采取回避不出击的计策，等到汉军强大的后续部队赶来支援，那时我们又怎么对付呢？而其他诸侯也会认为我胆小，就会轻易地来攻打我们。"没有采纳李左车的计谋。

背水一战

韩信在离井陉口还有三十里的地方，停下安营扎寨。待半夜时，传令进军。韩信挑选了两千名轻装骑兵，每人手持一面红旗，从隐蔽小道上山，在山上隐蔽着观察赵国的军队。韩信告诫说："交战时，赵军见我军败逃，一定会倾巢出动前来追赶我军，这时候你们火速冲进赵军的营垒，拔掉赵军的旗帜，竖起汉军的红旗。"又让副将传达开饭的命令，说："今天击败赵军后会餐。"将领们都不相信，只佯装允诺。

韩信对手下军官说："赵军已先占据有利地形，趁地利坚壁清野。他们不看到我们大将的旗帜是不会攻击我军先头部队的，怕我们遇到险阻的地方会退回去。"于是韩信派出万人作为先头部队出发，背靠河岸排兵布阵。赵军远远望见，大笑不止。

天刚蒙蒙亮，韩信竖起大将的旗帜，擂鼓行军，出井陉口。见到汉军大将旗帜，赵军果然打开营垒攻击汉军，激战持续很长时间。这时，韩信和张耳假装抛旗弃鼓，逃回河边的阵地。河边阵地的部队打开营门放他们进去，然后再和赵军激战。赵军果然倾巢出动，争夺汉军的旗鼓，追逐韩信和张耳。韩信和张耳已进入河边阵地，全军殊死奋战，赵军一时无法取胜。此时韩信预先派出去的两千轻骑兵趁赵军倾巢出动的时候，火速

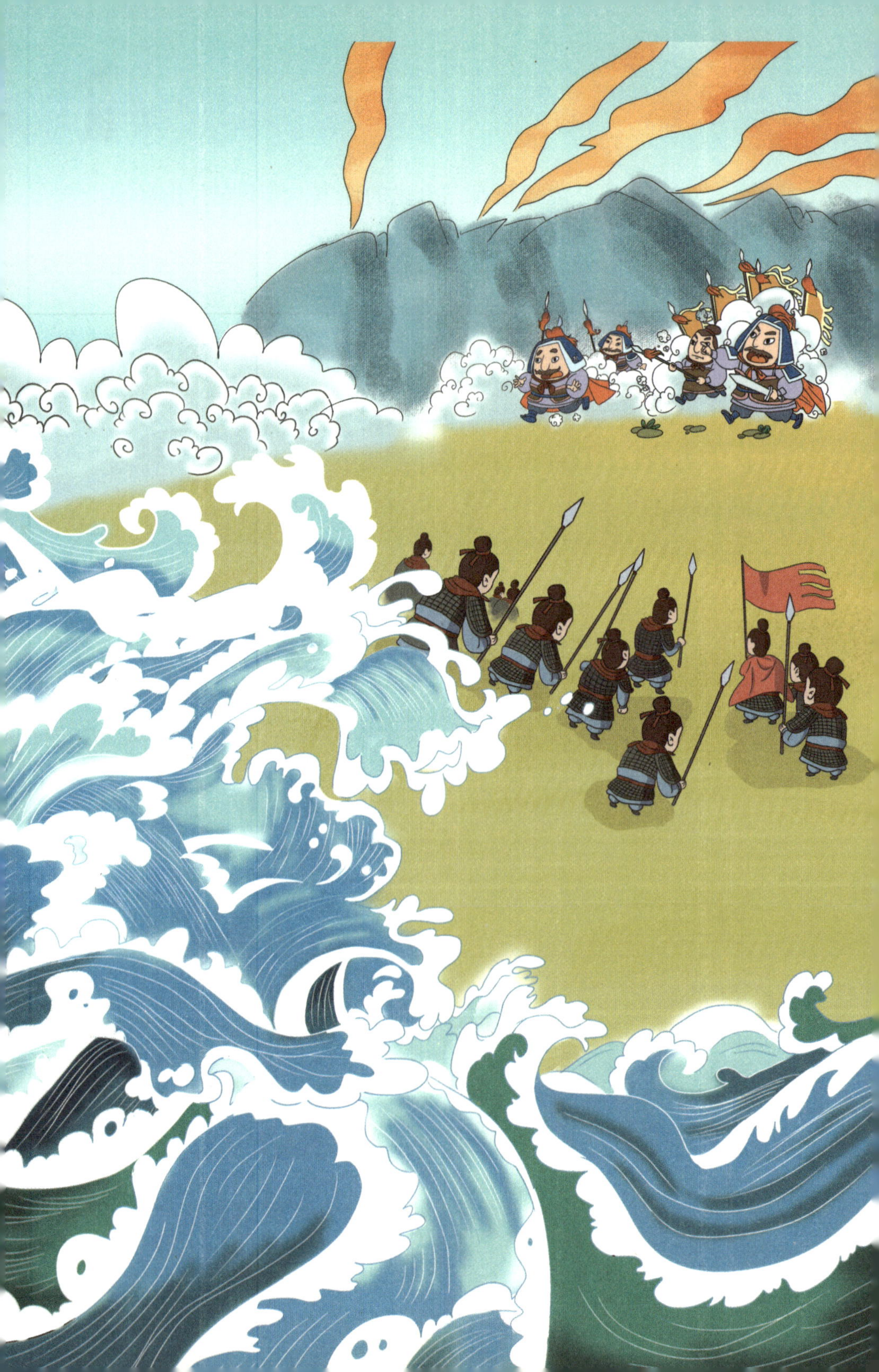

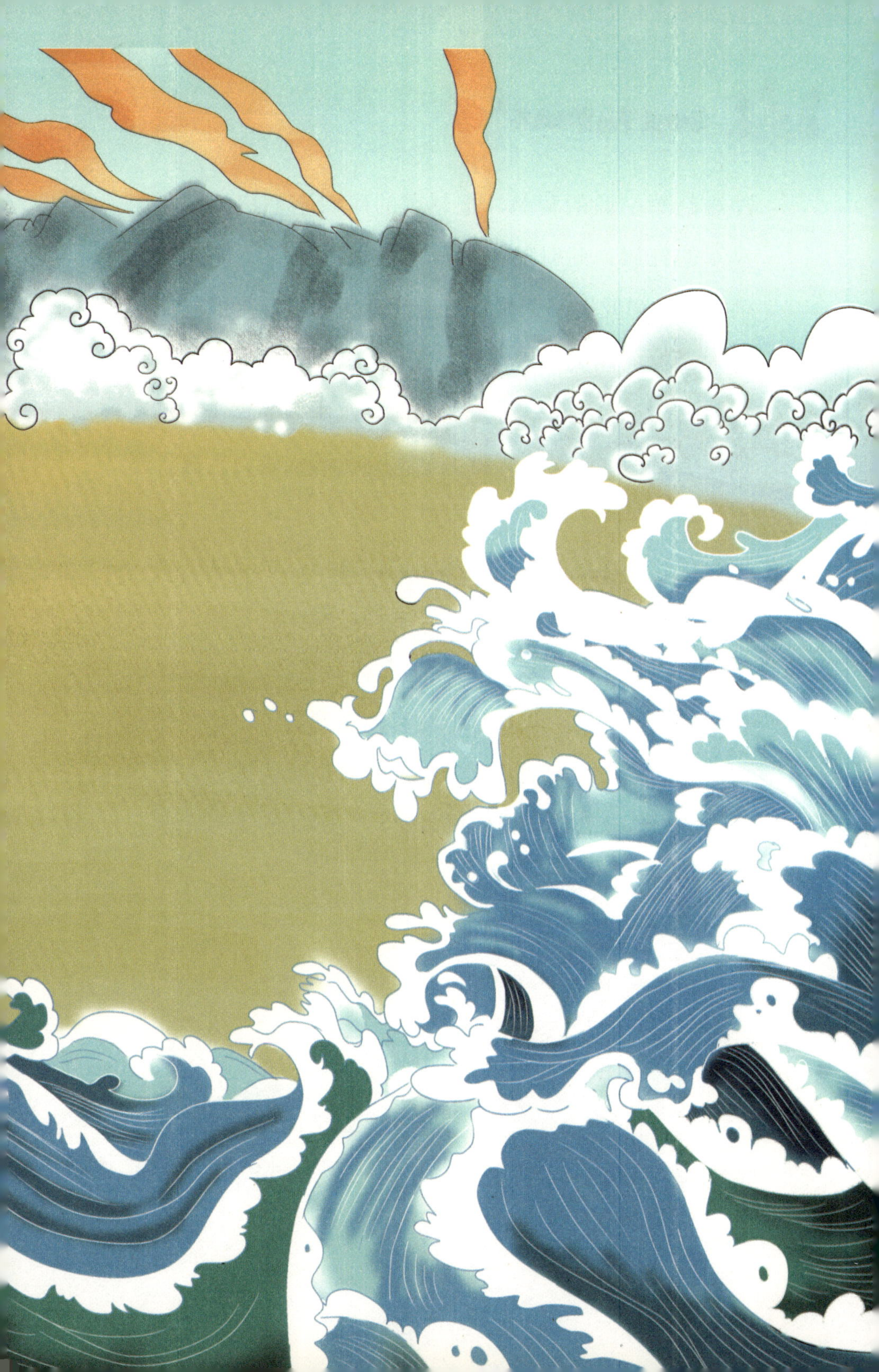

冲进赵军空虚的营垒，把赵军的旗帜全部拔掉，竖起汉军的红旗。此时的赵军既不能取胜，又不能俘获韩信等人，想要退回营垒，却见营垒插满了汉军的红旗，大为震惊，以为汉军已经俘获赵国的全部将领，于是军队大乱，纷纷落荒而逃。这时，汉军前后夹击，彻底摧垮了赵军，俘虏了大批人马，并在泜水岸边生擒了赵王歇。

在开庆功宴的时候，将领们问韩信："兵法上说，列阵可以背靠山，前面可以临水泽，现在您让我们背靠水排阵，这是一种什么策略呢？"韩信笑着回答说："这也是兵法上有的，只是你们没有注意到罢了。陷之死地而后生，置之亡地而后存。如果是有退路的地方，士兵都逃散了，怎么能让他们拼命呢？"众将自叹弗如。

背水一战

【知识拓展】

李左车：赵国名将李牧之孙。秦末，六国并起，李左车辅佐赵王歇，为赵国立下了赫赫战功，被封为广武君。赵亡以后，韩信以师礼待李左车，李左车提出"百战奇胜"的良策，使韩信收复燕、齐之地。韩信被杀之后，他辞官隐居，扶危济困，广使恩德。

李左车给后世留下了"智者千虑，必有一失；愚者千虑，必有一得"的名言。在民间，他被尊为雹神。《聊斋志异·雹神》记述了他降冰雹于章丘，落满沟渠而不伤庄稼的传奇故事。

## 垓下之围

**前**203年,楚军与汉军在广武对峙。楚军的粮食将要吃尽,而楚国积聚的粮草被彭越烧毁,后备供应不继,韩信又在齐地击败楚将龙且后南下进军,项羽因此感到十分忧虑。项羽以送回刘邦的父亲和妻子为条件,与刘邦协定条约。于是楚汉双方进行了历史上著名的"鸿沟和议",以战国时魏惠王开凿的运河鸿沟为界,鸿沟以西归刘邦,鸿沟以东归项羽。

项羽送回人质,然后领兵东归,刘邦也想向西回到关中。此时张良和陈平建议刘邦撕毁鸿沟和议,趁楚军疲惫时从背后发动袭击,他们劝说刘邦:"现在的天下,大半已经落入汉王您手中,各路诸侯争相归附,而项羽兵少粮尽,众叛亲离,这是灭亡楚国的大好时机。如果放走楚军,等于纵虎为患啊!"刘邦听从了他们的建议,撕毁条约,向楚军发动偷袭。

垓下之围

　　刘邦命齐王韩信率军从齐地南下，梁王彭越率军数万从梁地西进，汉将刘贾率军同九江王英布合计十万从淮北北上，刘邦则亲率大军二十万东进。汉军五路大军，合计近六十万之众，以韩信为联军统帅，对楚军形成合围之势，项羽被迫率领十万楚军撤至垓下。

　　汉军对项羽形成包围，为了突破重围，项羽多次对韩信本部发起攻击，但是始终不能取胜，便退到营垒中固守阵地。为了瓦解楚军防守，汉军在一个晚上唱起了楚歌。项羽听到楚歌四起，大为吃惊，说："汉军已经占领楚国全境了吗？为什么汉军中会有这么多的楚人？"便连夜起身，唤来虞姬，在大帐内喝酒。席间，项羽慷慨悲歌："力拔山兮气盖世，时不利兮骓（zhuī）不逝，骓不逝兮可奈何，虞兮虞兮奈若何！"虞姬与项羽反复吟唱，互相应和，最后虞姬拔剑自刎，让项羽毫无牵挂地去突围。

　　项羽骑着乌骓马趁着夜色突围，部下有八百余壮士跟随。天蒙蒙亮的时候，汉军才有所发觉，于是命令骑将灌婴率五千名骑兵追击。项羽渡过淮河，身边只剩下一百多人，后来又迷路，陷入沼泽之中，被汉军追上。

　　项羽来到东城，身边只剩二十八个骑兵，面对追来的五千骑兵，料定无法脱身，于是对身边的骑兵说："我

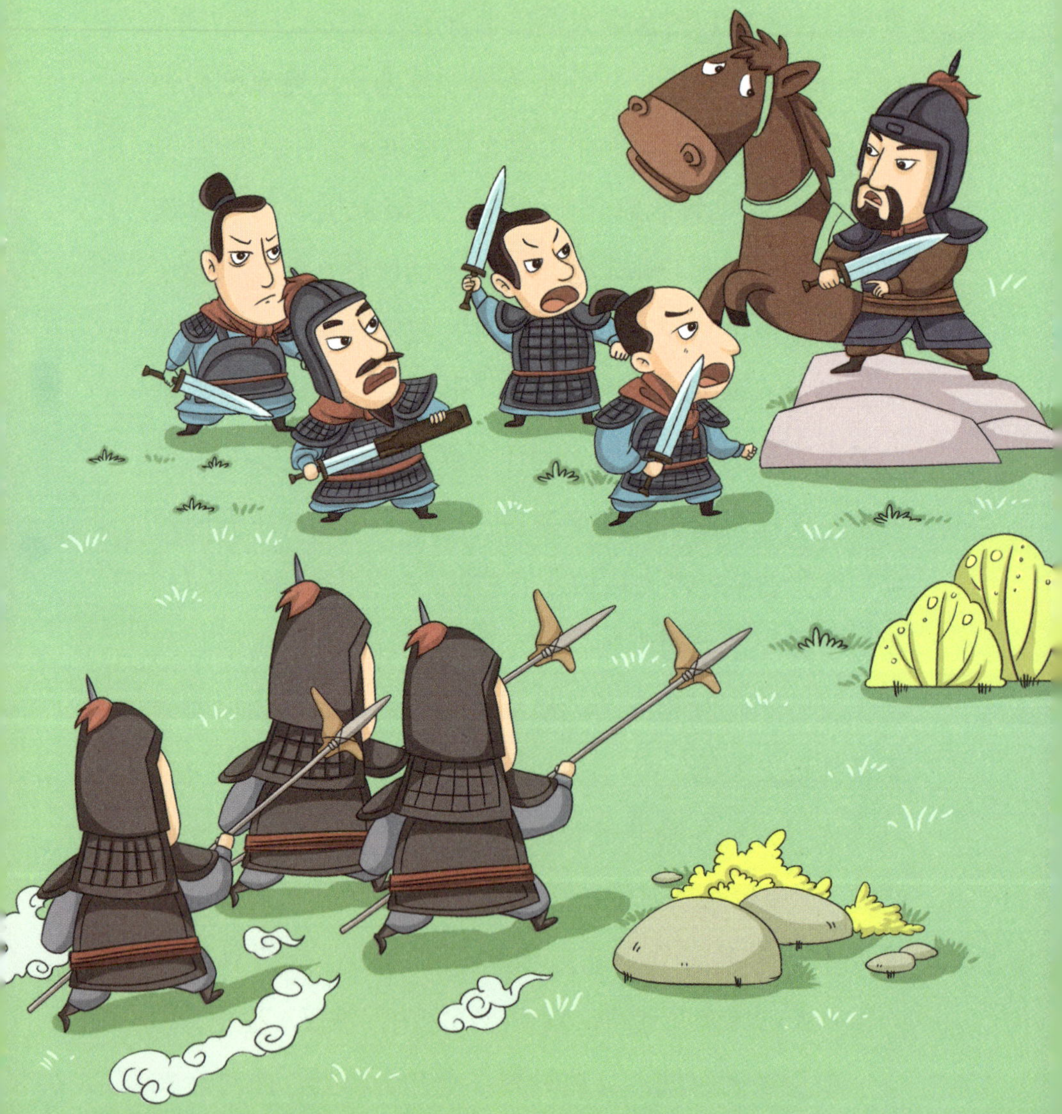

垓下之围

从起兵到现在,已经八年,身经七十余战,从来没有败绩,从而称霸天下。但是今天被困此地,这是上天要亡我!今日必定战死,愿和你们并肩作战,痛快地打这最后一仗。"于是,他将身边的二十八位壮士分成四队,向四方冲杀,约定会合地点。"看我为你们斩杀一员敌将。"一声暴喝,项羽奔向汉军。汉军的阵形被冲散,项羽随即斩杀一员汉将。有一位汉军将领追击项羽,项羽回过头来瞪着双眼呵斥他,结果那位汉将受到惊吓,退避数里。项羽与他的骑兵们会合,汉军不知道项羽所在,于是兵分三路,重新将他们包围。项羽随即向汉军冲杀,斩杀一百多人,重新聚集骑兵,得到二十六人。

项羽带领这二十六人,来到乌江边上。乌江的亭长早就在那里等着他了,亭长跪拜说:"请项王渡江东去,江东虽然狭小,土地方圆千里,民众数十万,足以当作称王的资本。现在江边只有我这一条小船,汉军追来也无法渡江,请您马上上船!"项羽笑着说:"这是天要亡我,为何还要渡江?我当年领着八千子弟渡江西征,如今无一生还,纵然江东父老怜爱我拥立我为王,但是我有什么脸面回去见他们?"说完,他抚摸着乌骓马,对亭长说:"这匹乌骓马随我征战多年,日行千里,我不忍心杀了它,就送给您,把它带回江东,好生照顾吧!"

追兵此时也来到乌江口,项羽让他的部下都下马步行,与汉军短兵交战。项羽勇猛无比,身体十多处受到创伤,但是越战越勇,亲手斩杀汉军士兵几百人。在阵中,项羽看见了汉军一个将领,名叫吕马童,于是对他喊道:"这不是老朋友吗?我听说,汉王以千金、万户封邑来悬赏我项羽的人头,现在我就把这个好处给你吧!"说完就举起宝剑刎颈自杀,一代英雄就此悲壮而死。

### 【知识拓展】

项羽虽然在楚汉之争中失败,但是其精神却一直影响着后世,《史记》将其列入本纪之中,与帝王并行。北宋末年,金人抓获宋徽宗、宋钦宗,北宋灭亡,东渡的南宋政府一味求安,只为保全自己。当时的李清照就借项羽当年垓下战败,不肯回到江东的事,讽刺南宋政府,写下了一首《夏日绝句》:生当作人杰,死亦为鬼雄。至今思项羽,不肯过江东。

## 萧规曹随

**刘**邦率军征讨英布,被流矢射中,在班师途中病势加重。刘邦不愿治病,说:"我以一个平民百姓的身份,手提三尺剑夺得天下,这不是天命吗?生死在天,即使扁鹊复生又有什么用?"吕后问刘邦身后事:"陛下百年之后,如果萧相国也去世,谁可以接替他担任相国?"刘邦回答说:"曹参可以。"

当初,刘邦把曹参封为齐国丞相。齐国有七十多个城邑,曹参想要治理却又无从下手,于是召来当地的老者和学者,询问良策。众说纷纭,曹参不知如何决断。之后,一位叫盖(gě)公的人,精通黄老学说,他对曹参说,治理国家贵在清静无为,让百姓自行安定。曹参采取他的办法,在任九年,齐国安定,齐地百姓都称赞曹参的贤能。

曹参听说萧何去世的消息，立即对门客说："快去准备行装吧，我马上就要去京城了。"曹参担任相国后，仍然沿用萧何当年制定的法令和律例，不做任何改动，并且罢黜急功近利、言谈刻薄的官员，选拔敦厚朴素、不善言辞的长者担任丞相的属官，帮助自己打理政事，自己则不问政务，只顾日夜饮酒享乐。

士大夫官员以及他的门客见他不理政务，都好心劝他不要因为喝酒而耽误了国事。曹参知道他们的来意之后，就转移话题，劝他们喝酒。他们想在喝酒间隙出言相劝，曹参又是劝他们喝酒，直到喝醉，他们都没有开口说话的机会。

相国的府邸与一个官吏的房舍相邻，这个官吏的家中整天有人饮酒歌唱。曹参的属官对此很头疼，但也无可奈何。一天，这些属官在花园游玩，隔壁又传来饮酒作乐的声音，他们希望曹参能以相国的身份加以制止。没想到，曹参不但没有制止，反而让人摆下宴席，与他们一同饮酒，大声呼喊，与隔壁的官吏相互应和。

有一些官员因为疏忽大意犯了一些小错误，曹参也只当没看见，于是相国府中终日清闲无事。这种情况持续了很长一段时间。

汉惠帝觉得这是曹相国瞧自己年轻，所以轻视自己。

萧规曹随

曹参的儿子曹窋（zhú）正好在朝中任职，汉惠帝向他埋怨曹参不理政事，说："哪天你回家了，要私下里不着痕迹，假装随意地问问你的父亲。'高祖刚死不久，现在的皇上又年轻，您身为丞相，应当尽力辅佐。像您这样只知终日饮酒，怎么能够治理好天下呢？'你就用这话询问你的父亲。"曹窋按照皇帝的意思，回到家里就问曹参。曹参听完儿子的话，顿时大怒，将曹窋鞭笞了一顿，并大骂说："天下大事是你应该谈论的吗？赶紧回宫去侍候皇上。"

曹窋遭了父亲的打骂后，垂头丧气地回到宫中，并向汉惠帝大诉委屈。惠帝听后愈加莫名其妙，于是第二天退朝后，留下曹参，责备他说："你为什么要鞭笞曹窋，他说的那些话都是我让他问您的。"

曹参脱去官帽，叩头谢罪，然后说："陛下认为您和高祖比起来，谁更英明神武？"汉惠帝回答说："我怎么敢跟先帝相提并论呢？当然是高祖皇帝更为英明神武。"

曹参又问："那么陛下再想想，论德行和才干，我和萧何相国相比，谁更贤能呢？"

汉惠帝笑着回答说："在朕看来，比起萧何相国，您好像要逊色一点儿。"

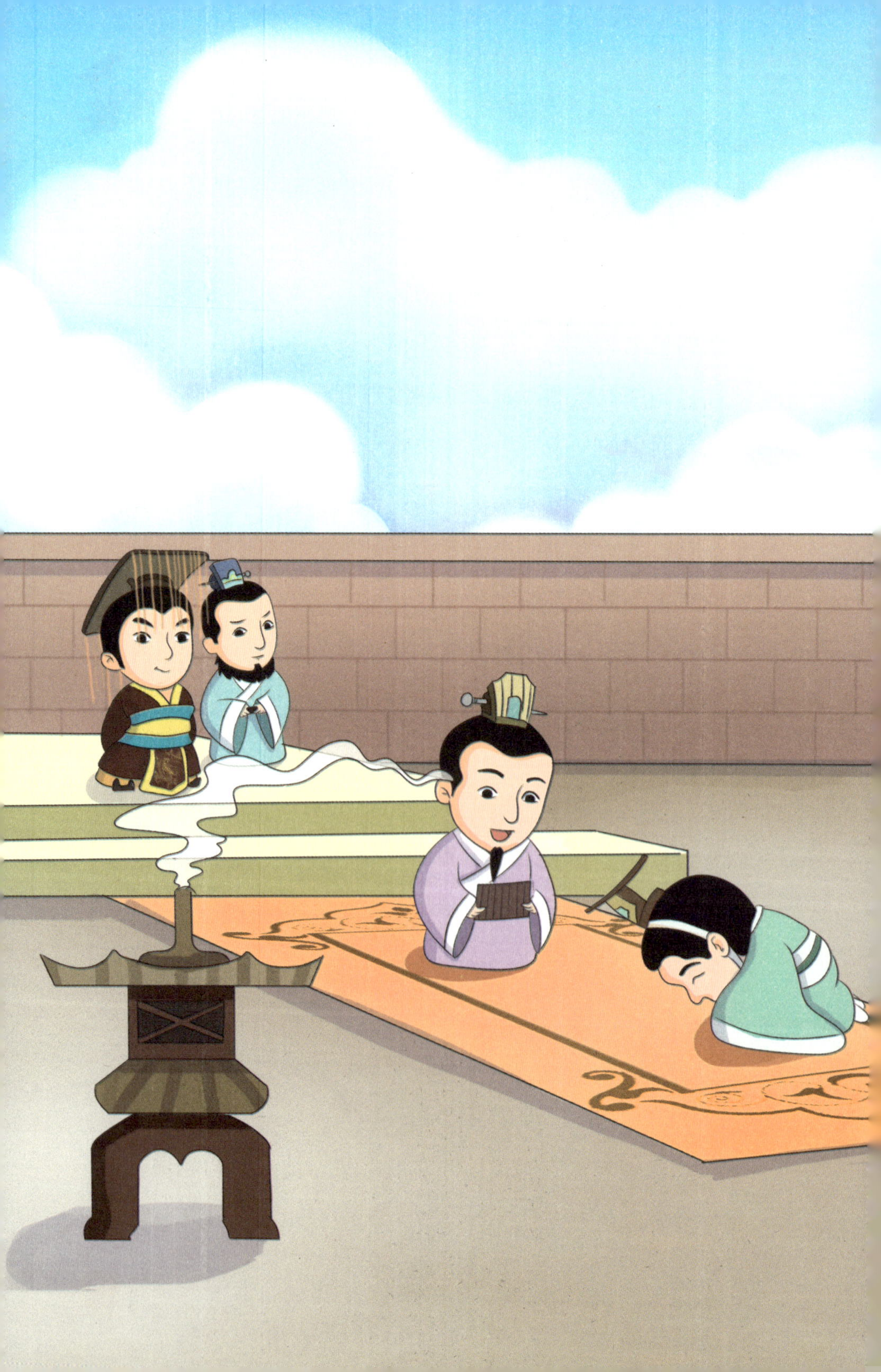

萧规曹随

曹参接过汉惠帝的话说："陛下说的话非常正确。既然陛下不如高祖皇帝贤明，而我的德才又比不上萧何相国，他们平定天下，陆续制定了许多法令和规章，而且都卓有成效。如今陛下只当垂衣拱手，我等臣子各尽其职，遵守已有的法令而不作更改，这样不是很好吗？"

汉惠帝想了想，对曹参说："朕已经明白，相国不必再说了。"

曹参在朝廷担任相国三年，主张清静无为，遵照萧何制定好的法令治理国家，休养生息，使得社会逐渐趋于稳定。百姓编了一首歌谣以称颂曹参治理国家的成效："萧何定法律，明白又整齐；曹参接任后，遵守不偏离。施政贵清静，百姓心欢喜。"萧何制定法令，曹参遵守而不做更改，史称"萧规曹随"。

**【知识拓展】**

黄老学说：战国时期的哲学流派，尊崇黄帝和老子为创始人。它改造老子的道家思想，并兼采阴阳、儒、墨、法等诸家观点，形成一家之言，认为君主应"无为而治"。